JN115947

山本雅男
Masao Yamamoto

近代イギリスの文化と文明を歩く

表象から深層へ

Roundabout at
Modern British Cultures and Civilisations:
From Surfaces to Depths

小鳥遊書房

目次

第二部　多様な表情を持つイギリス

前口上

一九八〇年代、イギリスを観察しはじめたころ、かの国は「英国病 British Disease」といわれ、社会全体が沈滞、停滞していた。街を歩いても、どこか暗い雰囲気が漂っていた。

それに引きかえ、同時代の日本は、まさに「金ピカの八〇年代」と毀誉ともども喧伝され、その対照はじつに鮮やかであった。「高度経済成長」と持て囃(はや)されたが、そのじつ虚空の「バブル経済」であることがわかるのは後年のこと。

近代の歴史を見るにつけ、なにごともイギリスが先駆的で、時代の先を行くと教えられてきた身には、いまでこそ華やかに賑わっていても、いずれはあの国のように減衰するのであろうかと暗然となった。だが、それだけに、この対照を好機としてかの国を調べてみようと思い立ったのも一方にはあった。

かくして、ここに編まれた諸篇は、日本人の目から見たイギリスの文化現象で、自ずから日英比較文化論となっている。自分の姿、振舞い方、習慣は、自身では気づかないもの、他人の方が、むしろよく見えている。イギリス人の歩き方が独特なのは、おそらく彼らは認識していない。

漱石にかんする論考が二篇ある。いうまでもなく、夏目金之助漱石は、その時代に渡英した数ある日本人のなかでも、ほとんど唯一といってよいくらい、イギリスを連想させる作家である。二年間の滞英を振り返って、ご本人はどうやら好印象をもてなかったようだが、その後の作家生活において、その経験が少なからず影響を齎したことはいうまでもない。個人主義から「則天去私」へと到達する人間観は、イギリス人のそれを反面モデルとしていることは疑いようがない。

いささか日常的なものから、イギリスの哲学思想へと、軟から硬、表層から深層、形而下から形而上へと配列されている。十八世紀に着目したのは、イギリスの近代形成を刻印する世紀と考えてのことである。近代が工業化の時代、資本主義勃興の時代、それに伴う社会や人間の改変とつながる時代だとすれば、産業革命の起こったイギリスの、まさに近代がそこに集約されている。そういえば、漱石の『文学評論』は十八世紀英文学の分析ではあった。

第二部に配されたコラム様の諸篇は、『英語教育』(大修館書店)誌に「Diversity in London」のメイン・タイトルで連載した文章である。肩の凝らない、気安く書き継いだもので、おなじ気分でお読みいただきたい。なお膝を打ったり、いくぶんかの発見があれば、幸いです。

とまれ、一見、乱雑にみえる諸篇ではあるが、自分なりの基本的な問題意識に基づいている。そのエッセンスは「後口上」の方に要約したので、そちらからお読みいただいてもよいでしょう。もっとも、まずは個々の些末な事例を経て核心に至るという、帰納法的な流れがイギリス的ではありましょうか。

第一部

イギリス文化／文明の表層から深層へ、日英比較を軸に

歩様考抄

イギリス人の歩き方

いつの頃からだろうか、イギリスへ行くたび、人びとの流れを見ているときなど、何か引っかかるものが兆し始めていた。どうも目に馴染みのない、妙な違和感を覚えるのだった。だいたい異文化体験やカルチャーショックなどは、そういうところからはじまるのではあるが、しばらくするうち、それが何か、にわかにわかったのは、じつは日本にいるときだった。

通称「ナンバ」という歩き方がある。歩くときに、足の出る方とおなじ側の腕を出す歩き方をそう呼ぶのである。幼稚園くらいの子どもがこれをやると、かならず親や先生に直されたものだ。子どもは靴を左右はき違えていても、気にはならない。

しかし、日本古来の武道などは、みなこの歩き方をする。相撲や柔道の前への出方はこのかたちだし、剣道の竹刀を構えた姿勢は片半身が前へ、反対側が後ろへ引いたかたちになっている。じつはボクシングや各種格闘技の構えもこれだ。日本舞踊の脚と体の運びもおなじ。

その姿勢で歩くのがナンバ歩きである。ふつうの日本人がこの歩き方をやめて、右足を前に出したときには左腕を振るようになる。それが明治になってからのことであることも、そのうちにわかってきた。つまり、明治になる前の日本人は、どうやら今のわれわれとは違う歩き方をしていたらしいのである。

人間の歩き方というのはごくごく自然なもので、したがって万古不易、ずっと以前から変わらないものだと思っていた。だが、そうではないらしい。その証拠に、幼稚園や小学校などの段階で、「正しい歩き方」を指導されることで、いまの「普通の」歩き方をするようになるわけ。それは、生まれながらに、自然に具(そな)わった人間の動作ではないことの現れといえるであろう。

そして、歩くという、人間にとって本源的と思えるような動作ですら、つい百年くらいですっかり忘れてしまうものだということに感心してしまうのである。その瞬間に、イギリスのことがにわかに頭に浮かび、年来の不可解がたちまち氷解してゆくのを感じたのである。

イギリス人の歩き方である。彼らが歩くのを見ていて、なんとも頼もしく感じていたのは、その堂々とした雰囲気だった。人間の動作、所作ですら時間的に変化する、つまり普遍のものでないとするなら、地域によっても違ってくるのは道理のはずなのである。ようするに彼らの歩き方がわれわれのそれと違うことに、迂闊ながら気がつかなかったというわけだ。

日本人の歩き方も、百年たってすっかり忘れて変わったというわけではなく、まだまだかつての名残を踏襲しているところがある。

つまり、ナンバ歩きには、腕と脚との連動した動作のほかに足が摺り足になるという副産物が伴うのである。摺り足は、前に出した足の裏が地面に対して平行、または地面から離れず摺るように前に出ることをいう（だからこそ摺り足というのだが）。当然のことながら、それは前に出した脚が膝のところでいくぶん屈折する姿勢になる。ということは、裏返して云えば、前に出した脚が直線にはならないし、足と脚とが地面のところで、つまり踵で直角にならない、ということになる。そもそも日本舞踊では、まず稽古のはじめの基本姿勢として、膝を軽く曲げて、腰を少し落としなさいとくどくど指導される。

また、相撲でも、腰を低くして重心を下げろと。そのためには膝を曲げて動いても耐えられる大腿筋をしっかりつけるような稽古を繰り返せと。この「摺り足」の姿勢は、「股割り」や「四股」などと並んで、基本的な稽古として厳守されている。膝や腰が伸びていれば、重心が高くなり、簡単に押されたり、投げ飛ばされたり、とにかく怪我のもとになると考えられてのことだ。

こうした古武道や日本舞踊の姿勢が、じつはわれわれのごく普通の歩き方にも薄っすらと残っているのである。歩き方など、万国、洋の東西を問わないと思われるかもしれないが、それは、違う。じつは相対的なものだということは、言葉で話したり書いたりしてもなかなか簡単にわかってもらえない。自分たちの歩き方が普遍的で他にこれと違うかたちがあるとは思わないからだ。

ビートルズの歩き方

実際に歩いてみて、違いを見せるのがいちばんなのだが、面白いことに一言で即座に理解してもらう絶好の例がある。ビートルズの『Abbey Road』というアルバムのジャケット写真である。ビートルズなど名前でしか知らない、自分たちが生まれるはるか以前のアーティストだという若者たち、だれでもがすぐに想起するアルバムである。これは驚くべきこと。ほかのどのアーティストも、ほかのどのアルバムも、そのようなことは起きない。

注意を促したいのはその歩き方である。前に出した脚と後ろのそれがそれぞれ棒のように直線になる。その好例として、はじめは何気なしに言い出したところ、驚異的に、すべての人が瞬時に了解したのである。それくらいあの写真が広範な人びとのなかに浸透しているということだし、彼ら四人の歩く姿が鮮明だったということだ。

いや、もちろん、彼らが撮影用に演技して、特殊な歩き方をしていたということで印象に残ったというのではない。イギリス人としてごく普通の歩様をしているだけなのだが、われわれ日本人にとっては見慣れない、鮮やかな印象として、無意識に入っていたのだ。それほどに日本の街角では、ついぞ目にしない歩き方なのである。

アビー・ロードの、あの横断歩道は、わずか一枚の写真で世界中に知れ渡ることになった。いまも人びとが一目見たさに世界各地から集まってくる。ロンドンの住宅街、ごくありふれた、どこにでもある横断歩道である。数人でやって来た観光客は、並んでここを渡る。意識的に、あの姿勢を取りながら。そして、脇を見ると、道路沿いの垣根には、各国の文字で落書きが書き記されている。

アビー・ロードでビートルズの真似をして横断歩道を渡る人びと

一九六九年八月八日、真夏の午後、明るい日差しのなか彼らがここで写真を撮った。それは、近くのアビー・ロード・スタジオで、いつものように録音をしていたひと時を利用したものだった。カメラマンは四人の若者に六回往復するように要求したという。録音の収録中で、チョッと外に出て歩いてくれという軽い設定だった（時代を超えた、深く広い印象を残す写真になるとは、誰も予想しなかっただろう）。あまり立派とはいえないその建物も現存しており、おなじように聖地巡礼の的となっている。

さて、このイギリスの横断歩道、Zebra Crossingと呼ばれて、イギリスでは道路上で格別の場所とされている。人が道路わきに立ったら、クルマは絶対に停まる、ことになっているからだ。イギリスの歩行者は、そもそもが信号はあってなきがごときものだから、車道側が青信号になっていてもかまわず横断してくる。それでも、信号のないところではさすがに注意を払う。それ以上に、横断のしるしのあるところに来ると、クルマの方がよほど用心して通過するのである。

いや、イギリス人の歩き方であった。ビートルズの、あの写真が印象的だったのは、メンバーのひとり、ポールが裸足だったためによけいに人びとの記憶に残ったのだろう。カメラマンの求めに応じて何回か往復しているうちに、飽きてしまったポールが、暑くなったこともあって、靴を脱いでしまったのである。その結果、アルバムが出てしばらく、姿を見ないファンから、ポール死亡説まで飛び出したという。

画像を見ると、ポールの、その白い足が、踵の一点を地面に接して脚と直角になっているのである。もちろん、四人がともに、出した脚、引いた脚どちらも膝を曲げることなく、真っ直ぐに伸びている。それが背景のゼブラゾーンと好対照をなしていた。

もうひとつ強いイメージを植えつけたのはアップライトに垂直な背筋だ。うつむきかげんに前かがみの、ましてや猫背の背中などではなく、真っ直ぐな背の翳も忘れがたい印象を与えている。あの歩く姿勢こそが、イギリス人の男性たちに普遍的に見られる姿なのである。繰り返すが、撮影用にポーズを取ったり、意識したりと、そういうことではない。街を行き交う男たち、なかには女性たちも、背筋を伸ばし、脚をまっすぐに伸ばして歩いている。イギリスでは、ごく普通の歩く姿勢なのである。

階級社会であるイギリスでは、衣食住はもとより、それこそ箸の上げ下ろしから立ち居振る舞いまで、人間のあらゆる行動が階級を示す指標となる。だが、この歩き方は階級の違いを超えて通有の形姿となっている。だからこそ、日本との比較も容易になったわけである。

もちろん、足腰が弱る年齢ともなれば、上体の胸を張り、真直の脚を颯爽と差し出すことは無理になる。歩幅も短くなって、雄姿というにはほど遠くはなる。それでも、パブで何時間も立ち飲み、立ち話に長年なれてきた彼らのこと、老人となっても矍鑠（かくしゃく）としたもの。街を徘徊するというのではなく、何か目的をもって歩くときの姿は、摺り足などというのとはまったく別種のものとなっている。

摺り足考察

べつの興味あるニュースに接したことも触れておこう。ポーランドのある青年が、偶然にテレビで見た日本の能にいたく魅入られてしまい、一念発起でそれを習得しようとしたという。爾来、専門家の指導を仰ぐこともなく、また一度も実演を見ることなしに独学で形にしていった。そのうちに仲間も集まり、まったくの見よう見真似で面や衣装も拵(あつら)えたというのである。そして、そのニュースで、聞き逃せない一条があった。

青年が仲間に指導するなかで、もっとも苦労したのが、歩の進め方、すなわち摺り足の所作を教えることだったというのである。仲間にはどうしてもこれを理解してもらうことができない、実行してもらうことができなかったと。

つまり、ヨーロッパの人びとにとって、摺り足で足（脚）を運ぶことは直ぐにはできない、体に意識的に覚えこませる、学習することによってはじめて可能になる動作だということだ。日本舞踊では、能ばかりでなく、あらゆる形式において、腰をやや落とし（ということは自然に膝が曲がる）、摺り足で移動することが基本になっている。

それに対して、いわゆる洋舞の基本動作において摺り足になることはほとんどないように見える。それは、ヨーロッパの日常生活において摺り足動作がまったくないことの素直な反映と考えてよいだろう。これに比して、われわれ日本人は、今すぐにでも摺り足くらい手もなく実行して見せることができる。さまざまな武道や舞踊などが、自分で演じたことはなくとも、周りに溢れているからだ。

もちろん、われわれも、始めは学習によって身につけたことは間違いない。ただ、その学習は、日々の生活のなかで、というより、模倣そのものが日々の生活そのものであるような、初期の細々した段階をいくつも経てなされるわけで、自覚的に習得されたものではない。日常の仕草というのは、そうした無意識の過程を蓄積することで形成されるものだ。だから、ポーランドの若者のように、模倣する対象が周囲にないところでは、どうしても身につけることはできない道理である。

イギリス人の動物行動学者、デズモンド・モリス［一九二八―］は著書『ボディウォッチング』（一九八五年）で、じつに三六種類もの歩き方のパターンを分類している。人間の行動観察について細部に至るまで心憎いばかりに展開されている。なかで、「するする歩き」と名指されたものが、こう解説されている。

足を細かく上品に動かして、体は車に乗っているかのようにするすると前に進む。かつてはヨーロッパ諸国で高位の女性のあいだに普通にみられたが、いまでは主として日本に限られる。（藤田統訳　平凡社ライブラリ版　三四八頁）

この「するする歩き」と訳された原語を、'The Glide'（*Bodywatching*. London: Grafton,1987, p.234）とモリスは表現している。これは、「音もなく滑るように歩くこと」と辞書にはあり、ダンス用語としても「摺り足の足の運び」と明確に定義されている（だから、日本語版の翻訳者がこれを「摺り足歩き」と直裁に訳さなかったのが惜しまれる）。

いうまでもなく、摺り足歩行のもうひとつの特徴は上体が動かないところにある。モリスは「車に乗っているかのよう」と表現しているが、そのとおりで、欧米人の歩き方は、上体がどうしても上下動するために、まさに「歩いているように」見えるというわけだ。リズム感をもった上下の動きと表現してもよいだろう。摺り足歩行が腕を振らないのに対して、この上下動は腕の振りをかならず伴う。それによってテンポを図っているのだ。

「ヨーロッパで、かつては高位の女性に見られた」というのは、とりわけ宮廷での振る舞いを指していて、'courtesy' という言葉がそれにあたる。宮廷では、踵の音をさせるような歩き方は許されず、君主、女王の前に楚々と進み出て、軽く腰を落とし膝をやや屈して拝謁するのが、かつてはごくふつうに、そして、今日でもなお正式には続けられている儀礼様式である。

この挨拶が 'courtesy' である。しかも、モリスは、その「するする歩き」が日本人の特徴だということも正しく見抜いている。国際社会における日本人のおしなべた評価に、ひかえめで礼儀正しい、上品だというのがあるが、ひょっとするとその理由の一つがこの歩き方にあるといってもよいだろう。それにしても、やはり、日本人の歩き方が自分たちとは違う、異風な感じだと、外国人には受け取られているのですな。

この違いは、たとえば、マラソンなどの長距離走に見られる、「ストライド走法（stride running）」と「ピッチ走法（trot running）」の違いとみてもいいかもしれない。前者は、外国人選手に多くみられる、大またで飛び跳ねるように駆ける走法。他方、歩幅が短く回転数の多い走り方が後者になる。どちらが速さや持久力において優れているかは決定的ではないようで、後者の走法で走る日本選手がつねに劣勢になるわけでないことがそれを証明している。また、小柄で胴長短足という、日本人の特徴とされる体型にその原因を求めることも間違っていよう。ストライド走法で走る日本人が少なからずいるからだ。

たしかに、イギリス人の歩き方が、ストライド走法の走り方に近接していることは直感できる。胸を張って、真っ直ぐ前を見て力強く歩く姿はマラソン選手を髣髴とさせる。

歩き方も文化の産物

マラソンと同じように、公道上で一定距離の踏破時間を競う陸上競技に「競歩」がある。歩く速さを競うわけだが、走るのと区別する厳格な規則は「かならず一方の足が地面についていること」につきる。いいかえるなら、走るという動作は、肉体が完璧に地上から離れ、瞬間的ながら飛んでいるところにある。競歩は、しかしながら、速く前に進もうという人間の自然な願望に逆らうところろに要諦がある。人間の速い前進を阻んでいるのは大地の抵抗、摩擦にあるからだ。

だが、それだけでは、競歩の、あの不自然な歩法にはならない。片側の足が必ず地面についている、飛び跳ねないということであれば、吾が摺り足ときわめて近接関係にあるといえそうだが、どう見ても、競歩の作為的な歩法は摺り足とは似ても似つかないものである。

その原因は、競歩のもうひとつの規則にある。「前脚は、接地の瞬間から垂直の位置に至るまで真っ直ぐに伸びていなければならない」というのである。ようするに、前に出した脚は、出したときだけでなく後方に移動して（そのときにはすでに片脚が前に出ようとしている）蹴る動作に入るまで、膝を曲げてはいけないというのだ。膝を曲げずに、しかもどちらかの脚がかならず接地していなければならないために、重心が高くなり、そのバランスをとることから、どうしても腰と上体がギクシャクした動きになる。これが、あの不自然きわまりない歩き方になったのだろう。

かつてイギリスの貴族ジェントルマンが自家用の馬車を走らせていたころ、その前を先触れのように歩く男（pedestrian とか running footman とかいわれた）がいた。当時の街道は、道路というのもおこがましいほどの荒れようで、雨が降れば泥濘に車輪を取られて動けなくなるのはまだしも、降雨後の水溜りで転覆すれば溺死者が出るというひどい劣悪さ。また、ハイウェイマン（highway man）という追い剝ぎ、雲助の出没は茶飯事というありさま。そういう道路状態や治安の斥候役が、この男たちの仕事であった。ともあれ、男たちの足が馬車の速さと同じというところが、微笑ましいところでもある。馬車といっても、映画などで勇ましく疾走するようなものではなく、時速にして七~八キロというから、いまの自転車より遅い速さで、フットマンの力量で応えられたわけだ。

そのうち、鉄道が開通したり、道路の改良が進んだり、また街道の治安も良くなってくれば、その役割が用済みになるのは必定で、文字どおり路頭に迷うことになる。こうした男たちが自分たちの培った技量や体力を観衆供覧のために発揮するようになり、また同好の士が相集い妍を競おうと語らううちに生まれた競技が競歩であった。

とにかく、競歩の歩法が、足を地面から離さないという点では、わが摺り足と相通じるものがある。だが、それとはまったく異なる姿になるのは、この、膝を曲げないところにつきる。ちなみに、競歩の平均的なスピードは時速一六キロ。マラソンは約四二キロを二時間余で走るのだから、時速二〇キロ。二時間三〇分ほどの一般ランナーなら、競歩と大差はなくなる。ギクシャクした歩様ながら、けっこうな速さなのである。

一方の、わが日本の日常的な歩様(といっても無意識におこなっている歩き方)では、摺り足と屈膝はまったく同義ということになりそうだ。歳を重ねた中高年男性が、貧相な姿勢になる原因はここにある。しかも、背筋がいくぶん曲がり、陰気さを増す。そのとき、頭骨もやや前傾するために、目線が遠方を直線的に望むのではなく数メートル先を見やるようになる。これでは颯爽として歩くイギリス紳士との格差は歴然となるだろう。

この膝曲げ歩きは、なにも男性に限ったことではなく、女性にも見られる。とりわけヒールの高い靴で歩く若い女性の姿に顕著。どこか薄氷を踏んで歩く姿のようで、慎重に路面の起伏を避けているのかと思わせる。

ただ、ナンバ歩きも膝曲げ歩きも、颯爽さには欠けるかもしれないが、安定した落ち着きを、自身、周囲ともに漂わせる。なにしろ、上下に跳ねるようなところがなく、上体が上下左右ともに定まって不動だからである。

これを様式美として定着させたのが、日本舞踊や古武道である。足が不恰好に上下したり左右にぶれないこと。何より上体が静止したように見えることから、それ自体が美意識を催す動きとなっている。西洋式のダンスやバレエによく見られる躍動美とは違った、静謐な美しさをわれわれはそこに感じるのである。

こうした様式化した所作や雰囲気が、舞踊という誇張した表象領域にとどまらず、じつに日常の歩様にまで浸透しているところが注目すべきところなのである。日本の文化や美意識をことさら言上げするつもりはないが、彼我の違いに着目することは重要であろう。文明は進化論に馴染みやすいが、文化に進化はありえない。

とはいえ、ここまでのことは、社会や文化に関わることで、集団として、おおむねどの人もおなじような動作をするという大まかな括りでの話しである。だがその一方で、歩き方がきわめて個人的な表象であることも事実である。一時的な感情を表すこともあるだろうし、個人的な性格や、あの歩き方、死んだお父さんそっくりといった遺伝的な形質を無意識のうちに体現することもある。ある特殊な人びとの、肩を怒らせ左右に振り、大股で歩く姿は、ひと目で、その人の属する一団の社会的特異性を感知させる。

身振りは、文化論のなかで基本的なジャンルであり、一つ一つの仕草が意味を発していることは否定できない。歩き方も、場合によっては積極的に意味を投企することもある。しかし、ほとんどの場合は、なにも意図せず、意識せずに、われわれは歩く。右脚を出せば、つぎは左と、ごく自然に体が動く、それが日常の立ち居振る舞いなのである。それを全体から見れば、おなじような傾向性を表すと。歩き方も、また文化の産物なのである。

漱石、英文学から遠く離れて

ある大学の授業でのこと。一四〇人はいる大教室で、問いかけたことがある。夏目漱石［一八六七―一九一六］のことだった。

学生たちの専攻はみな英文学。漱石が、日本の英文学者では黎明期にあたる、彼女らにとっては大先輩。なにしろ文部省が海外派遣する第一回の給費留学生でイギリスに渡った人だから、けっして無縁な人ではない。そういう意図もあって質問に及んだのである。さすがにこの事実は知っていた。

それでは、漱石の作品のうちで、なにを読んだことがあるかと訊ねてみると、ここで、思わぬ反応に出会うことになった。

まずは『坊っちゃん』。手を挙げるもの少数。

それでは、と。『吾輩は猫である』。さらに減って、ごく少数。あの厚さの小説を読み通すのは、なまじの忍耐力では無理だろうと納得しつつ、気を取り直して。

それなら、青春小説の原点、『三四郎』か。学生たちの頭上は、視界を遮る腕ひとつなく、向こう側の壁が鮮明に見てとれる。初めてその題名を耳にしたというような顔も少なくない。

にもかかわらず、漱石の名を知っているのはなぜなのだ。お札の肖像だからか、と悲痛の叫びが頭のなかでこだまする。

ほとんど打ちのめされた気分で、マイクを握った手が震えはじめた。それを気の毒に思ったのか、最前列の学生が、『こころ』なら、と小さく呟くのに救われる。

いまの、この、底抜けに明るい若者たちと、明治の、あの、底知れぬ暗さを全面に湛えた作品とがどうしても結びつきがたいのを訝しみながら、読んだことがあるかと訊いてみた。

豈図(あにはか)らんやとは、このときの驚きをいうのだろう。ほとんど全員が、満面嬉々として伸びやかに手を挙げたのである。これで、先生も私たちもようよう面目を施したと、謂わんばかりの安堵感が漲った(もっとも、全編を読み通したものはごく僅少であった)。

これにてやっと話の接ぎ穂ができたので、その日の主題である十九世紀末のロンドンへと話頭を転じたのだが、このときの驚き、感動、そして怪訝が引き続き後を引くことになったのはいうまでもない。

なぜ、『こころ』なのだ。

『こころ』はどのように読まれてきたのか？

なぞは力が抜けるほどあっけなく解けた。

若者たちが本屋や図書館をめぐって、自ら選び取ったというのではなく、高校の国語教科書に載っているのだという。それが、ほとんど全員が手を挙げた理由であった。知らぬは我が身ばかりなりということか。

いかな国家による検定教科書とはいえ、自由社会の我が国のこと、国語教科書は凡百とあろう。くわえて、大学なれば首都圏のみならず全国から学生は蝟集（いしゅう）してこよう。さらにくわえて、自治体傘下の教育委員会単位で一様に決まる小中学校とは異なり、高等学校における教科書採用の裁量権は各学校に委ねられてもいる。つまり、一四〇人いれば、一四〇種の教科書を学習してきたと考えても不合理でないということ。それでもなお、大教室の満座が落ちこぼれなくおなじ作品を読んでいるのは、却って恐怖感さえ誘うものがあろう。疑念はつぎつぎと妄想を拡げていったのである。

そこで、後日、少しばかり調べてみた。問いこそ探求の第一歩と、日ごろ、学生たちに訓え垂れている我が身を振り返って、いささか可笑しくなった。

各出版社の教科書を揃えているところで漁ってみると、これが、判で押したように夏目漱石では『こころ』。ほかに『夢十夜』がちらほら。『こころ』は、ほとんどの教科書に採用されている。おまけに、出典箇所もほぼ同一のところから採られている。

さては、文科省の教育的指導かと、手近にあった、高等学校国語科の学習指導要領を繰ってみたが、さすがに特定の作家、特定の作品を採用するように、などというところまで指導は行き届いてはいなかった。

だが、これは、どう考えても、明らかな偏向、偏りであろう。検定制度はいうに及ばず、同一作品をどの教科書にも採用するなど、まことにけしからん、とわけもなくいきり立ち、いまどきには珍しい正義感が湧いたが、これにも、呆気にとられるような理由があった。

国語の教科書も高校ともなれば、いろいろな文章を載せなくてはならない。随筆、評論、小説、詩、短歌に俳句とジャンルもさまざま。さらに、古文や漢文も併せて盛り込むとなると、いきおい定番物で紙面を埋めるようになる。

かつてのように、文章が文語一点張りの定型を保っていた時代なら、美文の典型というものもあっただろうが、言文一致以降は、あらゆるところに名文がころがっている。自然科学者の書くものにも名文が少なくない。小説にしても、明治、大正、昭和初期、終戦後、現代と時代によって、文体も主題も、描写される風俗も大きく変化してきた。ひょっとすると、百年内外の間にこれだけ小説が変わった国も珍しいのではないだろうか。

ともかく、多様な文章がこれだけ溢れている状況のなかで、教科書編集者の選択苦を思うと、安易に堕していると軽々には責められない気もする。

ところが、目が点になったのは、じつはこの先、現場の高校の教師から話を聞いたときである。私学はともかく、公立校の教師は、転勤という宿命を負っている。せっかく培った教材の指導法も、勤務校が変わり、教科書が変わると無用になりかねない。たしかに、おなじ単元指導も、経験を重ねると洗練度、習熟度が増し、授業進行が的確になることは間違いない。それは、生徒の理解度が深化することも併せて意味する。そうした現場の実際を斟酌して、教科書編集がおこなわれることは否定できないし、むしろ、ときには望むべきことでもある。だが、それも、度を過ごせば、惰性に流されることになってしまうだろう。

ようするに、画一的な教科書は、現場の教師の不勉強をもたらす危険性をたえず含んでいるということだ。そうならないためにも、まずは、教科書に左右されない教材研究が必須であろうし、それには、さいわいなことにというか、名文、駄文が世の中には掃いて捨てるほどあるのだ。

『こころ』は、たしかに、漱石の文章のなかでは、中程度以上の力がある現代の高校生であれば、読んでさほどの苦労はいらない文体である。構成にしても、漱石研究者の関心をもっとも引き、研究論文の多さでは群を抜くという事実が示すとおり、整然とした結構を具えている。また、どの教科書もが採用箇所としている、「先生と遺書」の三十六節から五〇節に見られるように、読むものを鷲掴みに引き込んでやまない、劇的な盛り上がりも旺盛にもっている。その意味で、『こころ』は近代文学の数ある小説のなかでも、教育的効果を期待できる作品のひとつであることに疑いはない。

しかし、だからといって、どの教科書も決まりきったように採用する、合理的な理由にはならない。日本人の悪い癖と国際的にも冷笑を誘う、横並び体質がここにも読み取れるといわざるをえない。もうひとつ、現場の教師が洩らした話のなかに、見逃せないものがあった。

歪な国語教育と漱石が提起した課題

大学で教壇に立つようになった当初、英語の授業で、腰の定まらない違和感を覚えたことがあった。

英文の講読をしていて、学生の表現する日本語がどこかおかしいのである。厳密にいえば誤訳しているわけではないのだが、ふつうには通らない日本語を口にし、書いて平然としている。日本の英語教育には、「直訳」と「意訳」という可笑しな習慣がある。英文解釈と翻訳と言い換えてもよい。

いずれも、原文の文法に忠実であるかどうかが判断基準になっている。そして、こなれた日常日本語表現より文法に忠誠な方を良しとするのである。おそらく、ほとんどの学生は、そうした英語教育の習慣に合わせることに自らを慣らしてきたのであろう。可哀そうなことである。

かくして、われわれ大学で英語を読み解こうとするものは、英語の学習を指導しているのではなく、じつは日本語の授業をしているのではないかと、錯覚させられる場面にいくつも遭遇することになる。「てにをは」から始まって、語彙の並べ方、できあがったひとつ続きの文章に至るまで、とても日本語とは思えない、世間では通用しない言葉の行列を改修するのは、日本語指導そのものである。あたかも、外国人のための日本語学校の教室風景だ。

これは、英語の理解度、運用能力、全体の学力とは別物であることもわかった。英語そのものの解析力がいくら高くても、ヘンな日本語で平然としているのである。現代日本の若者へ日本語教育を施す、その責務を背負っているのは、じつは英語教師の方なのではないかと、大袈裟でなく思ったものであった。

これとほぼおなじ構図が国語教科書における『こころ』にもある。

『こころ』は文学の作品ではあるが、いうまでもなく、きわめて強い倫理性を帯びた小説である。友情、裏切り、我執（エゴイズム）、忖度、精神的向上心、誠実、真面目さ、自己粛正、財産争奪、親子兄弟夫婦の関係と、どれひとつとして道徳や倫理の項目でないものはない。そして、それら一切合切が、ふたつの自殺という、このうえなく凄惨な結末で、読むものに問題を突きつけてくるのである。これは、国語の問題を大きく逸脱し、公民や倫理社会といった科目でこそ取り上げられるべき内容にほかならない。

もっとも、教材の扱い方は個々の担当者に任されており、道徳的な問題に立ち入らない教師も少なくないという。だが、筆者が検分した、ある教科書に付属の教師用指導書（教科書出版社は教師向けの懇切な指導教材を編纂、出版している）には、倫理的な内容にも大きく踏み込んだ教案が示されていた。もちろん、人がいかに生きるかという問題は、すべての人間に関わることだから、国語の教師とてそれを語ってならない理由はない。だが、個人的な経験知に基づいた、専門外の教師による人生訓話では、納得のいく指導がおこなわれる論理的な前提が立たないだろう。

それよりも、日本の国語教育が、おおくの場合、日本語の言語分析や言語表現の審美的涵養ではなく、徳育のかなりの部分を背負わされてきたことに注意すべきだろう。文学の鑑賞を大義名分にして、人生論や倫理学、哲学を考えさせられ、教育されてきたのが国語の教師なのである。いや、それは、日本の近代文学そのものがもっていた傾向性であったのかもしれない。自然主義や私小説が主流とされ、文学に深遠な主題を求めるあまり、言語表現の技法や多彩さへの関心が疎まれた事実とリンクしていたことは否定されまい。修辞学が後景に追いやられたこととも繋がっていよう。

ともかく、そうした、歪な国語教育の援用材として、『こころ』が用いられてきたことは明白だろう。それは、両者にとって幸福な道行きではない。その、いうにいわれぬ齟齬を、もっともよく実感しているのは、とうの生徒自身であるようだ。

　現役教師の述懐のなかで、自殺を考えている生徒にたまたまこの単元が廻ってくるのは危険だ、という話があった。如実に「身につまされる」からだという。だが、これも酷な話で、生きている意味を失ったものは、自ら命を絶つしか途はない、と真面目に思ってきたのが近代日本の人生観であり、文学観でもあった。そのために有意の若者が真剣に懊悩し、自死へと走ったものも少なくなかろう。たとえば、漱石の教え子であった藤村操という学生が、「巌頭之感」の遺書を残して日光の華厳滝に投身自殺した事件（一九〇三年）などは、その象徴的なものであろう。

　ところが、いまや、ほとんどの若者はその呪縛から解放されており、文学もそれに符合する方向に歩みを進めているかに見える。たとえ軽佻浮薄と揶揄されようと、無益な死が齎す不幸に人びとはようやく気がつき始めたという見方もある。その一方で、所謂「こころの病」に思い悩む若者がなくならないことに思いを馳せなくてはならない。

それでもやはり漱石

　これまで、『こころ』を高校生に示すべき教材とするのはいかにも不都合だというような書き方をしてきたが、それは真意ではない。淀みのない文体といい、章毎のまとまりといい、全体の結構といい、小説としては疑いなく最高水準の作品である。

ただ、そこに描かれたもの、人物像にしろ、人間関係にしろ、心理の内面にしろ、行為振舞いにしろ、どれをとっても読むものを癒す、安らぎのようなものには欠けている。どうも、明治のころより、世のなかの方が研ぎ澄まされすぎてしまったのか、この作品が持つような屈託には辟易感が付きまとうようになった。

だが、漱石が提起した課題は、しっかり受け止めなくてはならないだろう。漱石が描きたかったのは、西欧化の著しい進展のなかで、あらゆるものを放り込まれ、はち切れんばかりになった個人、行くべき方途を見失いかけながら暴走しつつある個人、そうした個人の罪深さだったのだろう。だからこそ、その突きつけ方は、どうしても倫理的な形式と内容をとらざるをえなかった。これは、国語の教材とすべきよりは、人間の生きる姿を考える授業科目でこそ、具体例として格好の材料なのである。

最後に一言、二〇二〇年の教科書改訂により、二〇二二年度の教科書からは『こころ』は完全に姿を消した。漱石作品で残っているのは『夢十夜』のみという。それだけでなく、国語教科書から文学作品、ことに小説が排斥される傾向にある。論理的思考を養うという意図で、論説文が採用される頻度が高いとも。社会がますます余裕を失っているということか。これはこれで大きな問題を孕んでいるといえそうだ。

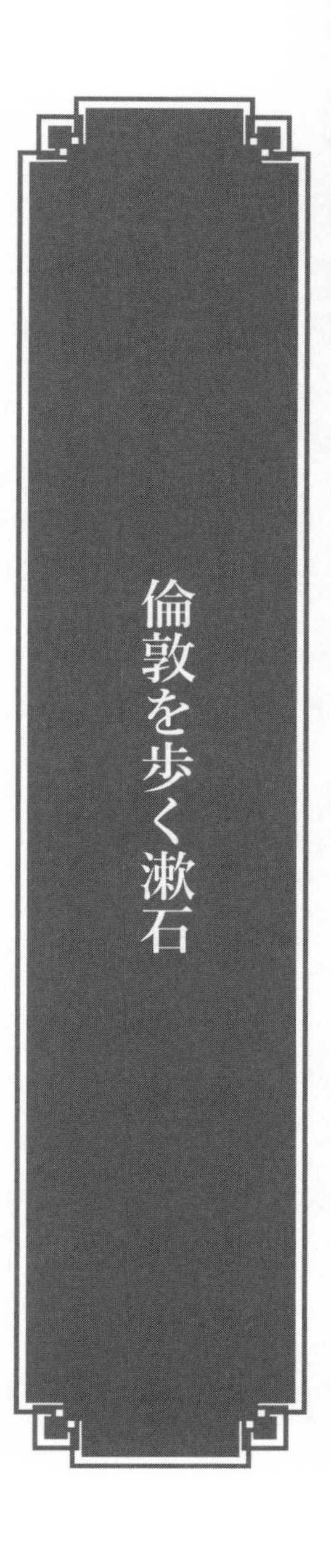

倫敦を歩く漱石

はじめに

今から百年以上前、すなわち明治三十年代の東京といえば、随所に江戸の薫を遺す、近代国家の首都としては発展途上にある都市であった。現在の東京がもつような近代都市の基盤機能、上水道はまだしも、ガスや電気、下水道、舗装道路、公共交通機関などのほとんどは開発の緒に就いたばかりだった。

一方、イギリスの首都ロンドンは、近代の工業化がすでに成熟の段階に達し、はやくもいくつかの指標では衰退の徴候さえ出始めており、社会的な富の蓄積は、都市基盤の開発よりもむしろ整備、拡充の方向に向けられていた。自動車は発明まもない頃で、いまだ一般の使用にまで普及していなかったものの、地下鉄はすでに一八六三年に開通していたし（ちなみに東京は一九二七年開通）、もとより各種の馬車が広く使われていた西欧世界であるから、街路は、馬車鉄道や二階建ての乗合馬車、（現在のタクシーにつながる）ハンサム型二輪馬車、荷車などでごった返していたのである。そうした両都市のあいだにある格差、懸隔を肉体的にも精神的にもしっかりと引き受けたのが、夏目漱石のロンドン留学であった。国際間における視覚的な情報媒体の極端に乏しい時代にあって、五〇日を要しじっさいに目の当たりにした、まさに手触りで感じる都市風景の違いは、今日のわれわれが感じるそれとは、まったく異なるものであったろう（この二ヵ月近い渡航が緩やかな馴致期間になっており、それゆえ、現在のような「時差ボケ（"jet lag"）」は存在しなかった）。しかも、東京に生まれ暮らし、都市生活者としてそれなりの気概をもっていたはずの人間からすれば、この鮮やかすぎる劣等体験も、冷静に味わってなどといられなかったはず。まして、新興国の野望に沸騰しつつある祖国から、それも国家給費生として、向後、国家発展の目標とすべき文物を体得してこいと送り出されてきた身には、その隔たりの径庭に底知れぬ慨嘆さえ覚えなかったわけはない。

遺された断片翰墨のあちこちから、そうした落差を前にした漱石の、ややもすると沈みがちな嘆きの息遣いが聞こえてくる。文化の違い、いや、文明の格差を笑い飛ばすだけの精神的（ときには肉体的）達観は、漱石にはなかった。

余談ながら、この点はきわめて重要。今日、夥しい数の日欧、日米の比較文化論が試みられているが、それらはいずれも、いわば文明論的には対等の立場からなされており、時間的（ないし進化的）な格差、落差が下敷きになっているわけではない、ということだ。つまり、文明の進捗において、ほぼ対等となったところに比較文化なる問題構制が可能になるということである。あえて仮説的なことをいえば、世界における多様な社会を時間軸から見たときには文明の、空間軸から眺めたときに文化の、比較対象的な有り様が顕われるということになろうか。漱石の倫敦印象記が、比較文化の趣きよりは、比較文明の性格に傾きがちなのは、当時の日本人が世界を見るさいに取る軸の捉え方と関連しているからだろう。

漱石の言説に読み取れる端々は、達観につながるような経済的な余裕に欠けていたともいえるし、神経衰弱に罹るような彼自身の性格的な繊細さとも繋がっているように思われる内容だ。いずれにしろ、異郷生活で抱えるさまざまな軋轢、葛藤をあまりにも真面目に受け止めたのが、その倫敦生活であった。

文学研究の主著である『文学論』（明治四十年、一九〇七年）の、それも冒頭の序文に「倫敦に住み暮らしたる二年は尤も不愉快なる二年なり」と、呪詛の言葉を書きつけなくては収まり切れなかった、それほどの怨嗟は、漱石の真摯な狭量にこそ源があったといえよう。

ここでは、『倫敦消息』（明治三四年、一九〇一年）、「自転車日記」（同三六年、一九〇三年）、『永日小品』（同四二年、一九〇九年）、そのほか「日記」、「書簡」などから窺える、漱石の倫敦生活を、ロンドンの都市風景を交えながら改めて推察してみよう。

今日、ロンドンには「漱石記念館」（一九八四年創設）が存在するほどで、数ある日本の文学者のなかでも、漱石とロンドとの関係は衆人のよく知られるところ。また、多くの研究者によってほとんど隈なく掘り起こされていることから、屋上屋のそのまた上を築くことになるのは承知している。異論、奇説を呈する、それこそ愚行は冒さないが、長年、ロンドンに親しんできたものとして、ひとつの話のタネが提供できればと願う。

ロンドンの肖像

通常一般に流布しているロンドン市の地図を見て、奇異に感じる人は少なくないだろう。それに少しばかりイギリス史の知識でもあれば、訝しさがさらに増すに違いない。

ロンドンの祖となった地域は、進出してきたローマ軍が紀元二〇〇年頃に築いた市壁で三方を囲まれた、Cityと呼ばれる一角である。市壁が三方であったのは、南面にあたる側がテムズ河であったからで、ここには橋（London Bridge）が一本架かるきりであった。今日では、シティが世界的な金融の中心地として重要な地位を保っていることはよく知られている。ロンドンの核ともいうべきシティの部分が、ふつうの地図では、概ね、右端に追いやられたように描かれているのである。つまり、ロンドンは、祖型ができて以降、ひたすらに西方（地図では左方）に向かって拡大してきたことが、これらから読み取れるというわけ。パリ市が、セーヌ河の中州であるシテ島を中心に、ほぼ同心円状に市域を拡大してきたのとは好対照をなしているといえよう。

もうひとつ偏った拡がり方をしてきたところがある。いうまでもなく、ロンドンはテムズ河畔に発達した都市ではあるが、横長方形の地図では、テムズの流れが、下辺の中ほどから上に向かい、真中あたりで大きく右に曲がり、右辺の中間へと抜けて行くように描かれている。

ついでに地図の描き方についてふれておこう。いまさらに改めて指摘するまでもないだろうが、商業用に制作され、使用されている地図は、社会の実相を反映するよう地政学的な意図（geographic perspective）に基づいて描かれた図像なのである。その点で、それら市販の地図は国土地理院とかイギリスなら陸地測量局（Ordnance Survey）といった公的機関が発行する測量地図とはおおいに異なっている。きわめて作為的、人工的な、それ自体ひとつの創作作品と呼べるような画像となっている。地勢を俯瞰して明らかにするとともに、見るものの目を逸らし、引き寄せ、隠すこともできる。

閑話休題。ロンドンのどの地図でも、右下すなわちテムズ河の南岸（右岸）一帯のところに、地図の凡例、記号説明、縮尺などが配されている。これは明らかに、この地域が多くの人びとの集まる繁華な場所や施設の少ないこと、ようするに重要度の低い地域だということを示している（東京の地図でも、おなじように右下だが、そこが海面になっているのは幸運というべきなのだろうか）。

現在、ロンドン中心地のテムズ河に架かる橋は、鉄道橋、歩道橋を除くと十一本あるが、史上二本目となるWestminster Bridgeが架けられた（一七五〇年）のは、最初のロンドン・ブリッジができてなんと千五百年以上経ってからであった。つまり、その間、ロンドンのテムズ河には一本の橋しかなかったということになる。これは、もっぱら軍事防衛上の理由によるとされているが、北岸の繁華街に対して南岸地域の市街化が著しく遅れる結果を生んだことはいうまでもない。

テムズ河にかかるタワー・ブリッジ

十六世紀末のこと、シェイクスピア［一五六四―一六一六年］の属す劇場が、北郊にあった土地の契約切れにともない移転を余儀なくされたとき、市内中心部への参入を拒まれ、やむなく南岸の市域外に新劇場（グローブ座）を建築せざるをえなかった。いまでこそ、演劇といえば立派な芸術活動であるが、当時の社会的評価はたいへん低く、まして真面目主義の清教徒が市の実権を握っている状況下では、風紀紊乱の現況として忌避され、熊いじめなどの見世物と隣り合わせに追いやられるのも無理なかったのである。南岸の河岸一帯は、都心の直ぐ傍らにありながら、ごく近年まで工場や発電所（現在、ひとつはテート・モダン美術館に他はバタシー・パワーステーションという複合娯楽施設に変貌）、倉庫の立ち並ぶ、暗い場末であり続けたのである。

十八世紀の後半から十九世紀にかけて、橋梁が続々と建設されるようになった。ということは、南側に多くの人びとが住み、往来の必要が生まれたということを示している。だが、それでもなお、北や西に比べての地域間格差は歴然としていた。

ついでに鉄道のことにも触れておこう。イギリスで最初に定期的な商業用鉄道が開通したのは一八三〇年、イングランド中部西方のリヴァプール、マンチェスター間であった。その後、鉄道各社は、首都を目指して路線開発にしのぎを削り、その結果、ロンドンには餌に取り付く小魚のように無数の線路と九ヵ所ものターミナル駅が出現することになった。一八四〇年から六〇年代にかけてのことである。各路線は郊外から鉄路を開拓し、市街の境界線のところまで食い込んでくる。現在の各終点駅は、市街地の中深くに位置しているように見えるが、当時は、それらを結ぶとほぼ円周を描くその線が、市街と郊外とを分ける境界線であったと考えられる。そして、それを地図上で辿ると歴然、南側から侵入してきた三路線はどれも、テムズ河のすぐ脇まで進んだところに終着駅を設けていることがわかる。ロンドン・ブリッジ駅にしろ、ウォータールー駅にしろ、それぞれ橋の袂に開設された。北からの路線のターミナルが、シティやウエスト・エンド地区（最繁華街）から遠く離れているのと見事なコントラストをなしている。

これらのことは、十九世紀半ばになっても、南側の地域が用地取得や路線敷設の面において容易な地域、つまり開発途上にあったことを物語っている。漱石が訪れる、わずか三、四十年前のことである。

イギリスは昔もいまも階級社会である。一九九〇年、ジョン・メージャー［一九四三―］が首相に就任したとき、掲げた政策目標のひとつが「階級なき平等な社会（Classless Society）」であった。これを聞いて、「いまさら時代錯誤な」と哄笑した日本人も少なくなかったが、これこそが「いまなお」の実態なのである。言葉遣いはもとより、立ち居振る舞いから衣服の好み、愛用の車種に至るまで、日常生活のすべてにわたりそれが表徴となって顕われる。となれば、これが住む場所に反映しない道理はないわけで、どこに住んでいるか、何処を選ぶかにその人の属する階級傾向が読み取られることになる。大掴みにいって、ロンドンでは西、北の方が高い階級で、東、南の方が低い階級傾向と考えられている。これが、土地や建物の価格、賃貸料などにも、自ずから連動していくことはいうまでもない。そして、これらが、十六世紀頃から始まる都市域の拡大以降、一貫して見られる傾向であることも言い添えておいてよいだろう。

とはいえ、物事はそう単純ではなく、ロンドンでは道一本違うと住む人びとの様相が一変するといわれるほどで、地区や一帯、界隈といったことも然り乍ら、より厳密にはどの街路に住むかの方が重要視されることも事実である（たとえば、角地にある家屋など、聞こえの芳しい通りの方に玄関をつけると。ロンドンでは道路名がすなわち住所になるから）。そこが階級社会の魑魅魍魎、複雑怪奇な所以である。しばらく住み、暮らし、馴染んでみないと社会の気風が了解できない、いうなれば閉鎖性が潜んでいるということ。さはさりながら、市全体から見れば、先にあげた方角による偏向は抜きがたく生き残っているといえる。

ともあれ、こうしたロンドンの土地勘を下敷きに、漱石の遺したものを読み返すと、いくつかの暮らしぶりが見えてくる。漱石が過ごした時代とすでに百年もの星霜を経てはいるのだが、当時の市街を撮影した写真集などを閲するかぎり、そう大きく様変わりしているようには見えない。当時と比べて目を引く変化は、女性の服装がより自由度を増したこと、馬車の混雑ぶりがすっかり自動車に置き換わったこと、男性が帽子を被らなくなったこと、くらいであろうか。この間、第二次世界大戦ではドイツ軍の空襲を受けていながら、主要な建物の多くはほとんど昔のままである。ようするに、漱石が眺めた街並みや公園、広場の光景をわれわれも目の当たりにしているということだ。それが、ロンドンという街なのである。これは、わが東京と絶対的に異なるところ。

一言つけ加えるなら、おそらく、もっとも激しく変わったのは、街を歩く人びとの顔ぶれだろう。

いまやロンドン市民の三割、いや、インナーロンドンでは五割が流入移民だという記録もあるほどに、人びとの姿形、顔の様子はこのうえなく多様になっている。これは、二度の大戦を経て次々と独立した旧植民地から渡って来た人びとが中心で、その範囲はかつての大英帝国の世界制覇により、地球上のあらゆる地域に及んでいる。そして、この人びとが流入して来るごとに新たな下層階級を形成してゆき、したがって、街で見かける現業労働のほとんどを請け負うようになると。街を歩けば、しばしばその姿を目にする所以である。たぶん、漱石がいまのこの時代にロンドンに生きていたら、非アングロ・サクソン系人種のあまりの多さに度肝を抜かされるに違いない。

遷る漱石

漱石夏目金之助［一八六七―一九一六年］のロンドン滞在は一九〇〇年十月二八日から一九〇二年十二月五日、アルバート・ドックを出帆するまでの二年一ヵ月余である。このあいだの行状は、先にあげた諸文献のほか「倫敦塔」（明治三八年、一九〇五年）、「カーライル博物館」（同年）といった紀行作品からも窺うことができる。

それらからすでにわかっているロンドンでの寓居と期間は以下のとおりである。

1. 76 Gower Street, Bloomsbury（一九〇〇年十月二八日―十一月十二日）

2. 85 Priory Road, West Hampstead（十一月十二日―十二月二三日?）
3. 6 Flodden Road, Camberwell（十二月二三日?―一九〇一年四月二五日）
4. 5 Stella Road, Tooting Graveney（四月二五日―七月二十日）
5. 81 The Chase, Clapham Common（七月二十日―一九〇二年十二月五日）

このように、漱石は、五ヵ所の下宿を転々としているわけだが、その理由は、財政的原因や家主の対応への不満、土地柄に対する不快感、さらには夜逃げの同道という滑稽譚のおまけまでついている。ということは、二年の滞在中、一年四ヵ月余を過ごすことになった第五の下宿が、懐具合からいっても、家主との相性からしても、また、周囲の環境からも、漱石には総合的にまずまずのところだったのだろうと判断できる。なにしろ、その鬱屈した留学生生活のなかで、唯一例外ともいえそうな、底抜けに明るい行動をし、その思い出を「自転車日記」として帰国早々に発表しているのだが、その舞台となったのがこの第五の下宿周辺なのである。

漱石第一の下宿（現在は玄関扉が塞がっている真ん中の部分）

さて、この五つの場所を前項で述べたロンドンの相貌と重ね合わせてみよう。

第一の投宿先は、中心街の目と鼻の先にあり、後日、本漁りに足しげく通うようになるチャリング・クロス・ロードやトッテナム・コートへも一〇分ほどのところ。漱石は渡航中の船のなかでえた情報から、ここのホテルに入ったようだが、今日でも小さなホテル（通称、B&B）が軒を並べる通りになっており、百年の隔たりを感じさせない一角である。多くの長期旅行者がそうするように、漱石もここに長居するつもりは端からなく、とりあえず旅装を解くといった気持ちだったろう、それにしても、ホテル代の高さには驚いている。

とはいえ、大英博物館やロンドン大学、ウエスト・エンドの劇場街にも近く、生の初期情報を習得しようと連日歩き回ったことだろう。

腰を据えるべく長期に住もうと、初めて選んだのは中心から北西方角に行ったウエスト・ハムステッドだった。


初めて下宿をしたのは北の高台である。赤煉瓦の小ぢんまりした二階建てが気に入ったので割に高い一週二磅の宿料を払って裏の部屋を一間借り受けた。（『永日小品』「下宿」）

漱石の下宿選びの基準は「第一安直でなければならぬ第二可成閑静な処がほしい」（一九〇一年二

月五日書簡）というものだった。新聞広告などを手掛かりにあちこちと捜し回った形跡があるが、到着まもないということもあってか、つまり金銭的にもまだ余裕感が若干あるせいか、もっぱら第二の理由によってここを選んだものと思われる。

というのも、中心地の北のはずれにあるリージェンツ・パークから北西にわずか一・五キロほどの住宅街の真中にあるからで、その位置関係からいっても、また、周辺の雰囲気から見ても「小石川あたり」という漱石自身の表現はあたっている。部屋代が高いのも当然であった。

漱石第二の下宿（角地のため、クリーヴ・ロード方面から撮影したもの）

漱石も言っているが、公的機関の駐在員や企業の転勤族はよほど金回りが良いらしく、こうした裕福な日本人が多く住んでいるのが都の西北ハムステッド周辺の住宅地である（この下宿でたまたま同居していた日本人技術者、長尾半平［一八六五―一九三六年］もその手の一人だったらしく、漱石はこの人物から借金をしている）。のちの時代の話ではあるが、おなじように経済的余裕のあるユダヤ人が多数住んでいたこともあって、ＪＪタウンと皮肉に呼ばれたこともあった。

家主の契約不履行や高慢な態度もあったが、ひとえに家賃の高さに閉口した漱石は、一転してテムズ河南岸方面に居を移す。とにかく安直なのが第一なのであった。

下宿の不平は僕も大有だったが一週二十五志の場所を見出して汚いところに籠城して居る只今は頗る愉快だ下宿は方々尋ねて歩いたが日本人のふるく居る処は皆「スポイル」して仕舞って高くて悪い様だ（一九〇一年一月三日「書簡」）

漱石第三の下宿（現在では建て替えられた左側の建物の一番端が六番）

ここに書いている「スポイル（spoil）」は、「（甘やかせて）駄目にする」という意味で、羽振りのよい日本人駐在員たちが財力に任せて家主たちを甘やかせ、その結果、何処も家賃を釣り上げてしまったといっているのだ。

それに引きかえ、南岸に転身先を求めざるをえなかったわれとわが身を顧みれば、「頗る愉快だ」という自嘲の空元気も漏れてこようというものだろう。

第三の下宿は、南岸地域にはあるものの、中心地への距離は第二のところよりははるかに近い。それなのに土地柄ゆえか部屋代は半値に近い額であった。そして、教養程度においてはおおいに不満であったが、ここの家主とは頗る気が合ったようである。しばしば観劇を共にしているし、ヴィクトリア女王大喪の折には見物に行き、肩車をされたのが、ここの主人ブレット氏であった。「日記」の方も、転居前しばらく中断していたが、俄然、活発につけだし、一九〇一年一月冒頭から六ヵ月間、数回のつけ忘れを除いてはほぼ毎日、記載の日付が見える。それも、後述のごとく、連日のように外出しているのだ。日を続けておなじところに向かうことも少なくない。日記に表れたかぎりではあるが、ロンドンを実体験しようという漱石の意志が、もっと旺盛に発揮されているのがこの時期にあたるようだ。

漱石第四の下宿（二つ並んだ玄関扉の左側が5番。現在は11番になっている）

つぎの第四の下宿への転宅は、家主の夜逃げに同行するという、まことに稀有な、いかなる留学生でもめったに遭遇しない珍事によるものだった。このことは、漱石もいくぶん予想してはいても、はなはだ面食らった出来事だったようで、『倫敦消息』の一と二はもっぱらこの一件の顛末を書き留めた一編になっている。

『倫敦消息』は帰国してから草されたものではなく、いわば現地報告の形で書かれたもの。したがって、その内容はきわめて現実的な迫力をもっている。ということは、漱石も、移動前後の騒動をかなり興味津々で眺めていたということになる。これが、遁走に付き合うという、文字どおり春の珍事に進んで巻き込まれた理由だろう。もうひとつ、ちょうどドイツから来る友人を待ち受ける時期と重なって、新たな宿捜しにかかる面倒を犯したくなかったという実際的な理由もあったろう。

かくして移った先のトゥーティングは、当時まだ開発されたばかりの新開地で、異教の独り身には一層の寂寥感を煽ったようだ。「聞きしに劣るいやな処でいやな家なり。永くいる気にならず」（一九〇一年四月二五日「日記」）と、移転当日に書いている。カンバーウェルからさらに南に下り、都心とは直線距離で一二キロと隔たってしまった。とにかく安いのが魅力で、移ってなお三ヵ月弱ここに留まるのだが、そうなった理由は、心待ちにしていた友人、すなわちドイツ留学からの帰途一時寄留してきた池田菊苗［一八六四―一九三六年］と七週間余、起居を共にすることになったからだ。漱石の倫敦生活に決定的な役割を果たしたといわれる池田との語らいは、この新開のうら寂しい侘び住まいで、夜となく昼となく熱っぽく交わされたのであった。

トゥーティングの下宿周辺は、今日でも都市のなかの住宅街というよりは、大都市の周縁、近郊市町村の宅地といった風情で、孤独感のことのほか強い漱石には、一入身に応える環境だったに違いない。池田が六月二六日に去って行くと、早速、改めて下宿捜しに乗り出した。今度は自ら新聞広告まで出す本腰の入れようだった（七月九日「日記」）。

出口保夫の調査によって、『デイリー・テレグラフ』紙七月十一日付けの部屋捜し広告が、それと見て間違いないとされる（出口保夫『ロンドンの夏目漱石』河出書房新社、一九八二年、一六九頁）。この部屋捜し広告で、とりわけ注目されるのは、〝文学を理解する家族〟という条件と、〝希望する地域〟としてあげられている地区である。N、NW、SWをとくに指定しているのだ。

ロンドンは、いまでは'borough'という自治区によって十二の地区に分けられているが、それよりも、郵便番号に相当する'post code'で地域を表現する方が、一般にはずっとなじみ深い。ロンドン市内では、大きく分けるとEC（東中央）、E（東）、WC（西中央）、N（北）、NW（北西）、W（西）、SW（南西）、SE（南東）の八区で、それぞれさらにNW2とかSE24のように番号を付け細かく分けている。住所にはかならずこれを付けるから、だいたいどこに住んでいるかが一目でわかる仕組みというわけ（おなじ街路名が多数あるロンドンでは、このポスト・コードが識別の目安になっている）。

漱石が住んだ五ヵ所をポスト・コードで見ると、1・WC1、2・NW6、3・SE5、4・SW17、5・SW4となる。これと、先にあげた漱石の希望地域とを考え合わせると、ロンドン滞在八ヵ月余となって、この都市の地政学的布置がわかってきている様子が窺えるのである。つまり、八地区のなかで敬遠ないし控えられた五地区には、彼なりの理由があったということ。BC、WCは最中心地、Wは市の西方にあって比較的高級地だということで、望みたいことは山々なれど、いずれも高額家賃と判断して避けたのであろうし、EとSEは、それこそ安かろう悪かろうとして嫌ったのであろう。

下宿捜しの最中、「終日下宿を尋ねてうろつく。北の方Leighton CrescentよりBrondesburyに至る。

昼飯を喰い損い足を棒のようにして毫も気に入る処を見出さず。閉口」（七月十五日）と書きつける。ここにある二つの地名がかつて住んだことのある第二の下宿にほど近いところであることは、その地域が彼にとってはよほど強い好印象を与えたのであろうと思わせる。「気に入らない」のはおそらく家賃のことで、こんどは一転して南の第五の下宿となるところへ赴き即決するのが、その翌日であるのは、何とも微笑ましい。

ともあれ、こうした下宿捜しの地理的な過程を見ると、たとえ金欠で日々喘いでいても、母国にあっては一角の知的エリートであり、なにしろ政府派遣の官費留学生だという矜持もあったろう。そして、激しい階級社会であるイギリスにおいて、それが端的にスノッブな嗜好となって顕われたことを示している。

漱石第五の下宿（左より玄関扉が 81 番。道路が坂にかかっており、台地の上にあることがわかる）

かくして、ようやく辿りついた第五の下宿は、SW のなかでもいくぶん都心よりのクラパム・コモンであった。十七世紀の日記作家で海軍大臣も務めたサミュエル・ピープス［一六三三―一七〇三年］も晩年ここに住んだというから、南部にあっても、高台になっているこの地域はかなり早くから、それもやや上位の住宅地として開けたところであった。

かつては共有地、入会地を意味したコモンが広大な公園となって市内各所に遺っている。ここはそのなかでも都心にもっとも近いところのひとつである。公園の東端には都市地下鉄道の駅もあり、都心へのアクセスも容易。西に十五分も歩けば、都内でも有数の乗換駅 Clapham Junction があり、夜になると汽笛が聞こえてきたという。下宿前の道路は、緩やかであるが北に向いた坂道になっており、ここが高台であることも漱石の気に入ったところかもしれない。

鬱勃と起こりつつある心境の大変化も手伝って、これから一年四ヵ月をここに腰を落ち着けることになる。大量に買い込んだ書物に深く沈潜し、文学論の研究に専心していくのである。思いどおりに成就するのか、絶えまない不安にさいなまれながら。

徘徊する漱石

馬車の歴史が長く、おしなべて乗り物には近しい国柄だと思われるかもしれないが、馬車全盛の時代にあっても、下層の庶民はひたすらに自分の脚で移動していた。だいいち道路の整備がままならなかったのだから、馬車に乗るのも難行苦行。ときには水溜りに車輪を取られて、溺死することさえあった。わざわざ高い運賃を払って見栄をはる必要もない人びとは、どこへ行くのにも歩いたというわけ。その遺風が染みついているせいか、今日のかれらもよく歩く。ウォーキングシューズで世界的にも有名なメーカーが、たいがいイギリスの会社であることも偶然ではあるまい。「日記」などを見ると、漱石も、今日の日本人の感覚からすれば、ひじょうによく歩いている。もっとも、イギリス人の気風に感化されたとはいえそうになく、どうやら、乗り物にはたいそうに疎かったと思える節がある。なんども乗り換えなどしていると、どこへ連れて行かれるか知れないと頻りにぼやいている。着後まもなく市内の名所処を見物に廻っているが、これも乗り物は使わず、すべて歩いて周遊している。しかも、地図は持っていたに違いないのに、なんども人に尋ねているというし、だいぶ経ってからも、散歩中に道に迷っているわけで、方向感覚に疎い向きもあるようだ。ただでさえ異郷の地で心寂しくさせるのが道に迷うということであれば、それだけでも街に馴染まない感覚に陥るだろう。同時代の東京に比べて、公共交通機関の整備は格段に充実していたロンドンなのだから、これを縦横に活用していれば、漱石の倫敦生活もいくらかは愉快なものになったろうにと悔やまれるところでもある。

とはいえ、明治初期に生まれ育った日本人としては、歩くことに何らの難儀も感じなかったのであろう（歩き疲れたという記述は見られるが）。ここに、各下宿先から出歩いた先を、煩瑣を厭わず「日記」から列挙してみよう。＊は頻繁に出かけているところ（ロンドンをご存知の方なら、そんなところにまで！　と驚かれるでしょう）。

◉第一の下宿　Tower Bridge, London Bridge, Monument, Haymarket Th., Cambridge（鉄道で），

British Museum, Westminster Abbey*, National Gallery, Hyde Park, Sydenham, City, Kensington Museum, Victoria and Albert Museum.

◉第二の下宿　St. Paul, Holborn, Hamstead Heath.

◉第三の下宿　Tottenham Court Rd., Denmark Hill*, Kennington Th.*, National Portrait Gallery, Dulwich Park*, Marble Arch, Metropole Th.*, Sydenham, Brixton*, Charing Cross Rd.*, Camberwell Green*,Peckham Rd., Dulwich, Her Majesty Th., Herne Hill*, Brockwell Park*, Elephant & Castel*, Drury Lane Th., Vauxhall Park, St. James Park, Piccadilly, Kew Garden, Balham, Clapham Common*, British Museum, National Gallery, Hippodrome, South London Art Gallery, Kennington, St. James Place, West Dulwich*.

◉第四の下宿　Tooting Station, Balham*, Tooting Graveney Common*, Tooting Bec Common, Mitcham, Streatham*, Royal Institute, Lambeth Cemetery*, Battersea, Elephant & Castel, King's College*, Hyde Park, Hippodrome, Holborn, Leighton Crescent, Brondesbury, Clapham Common.

◉第五の下宿　East Hill, Battersea, South Kensington, Battersea Park, Victoria Station, Hyde Park*, Caring Cross Rd., Bedford Row, Chelsea, Albert Dock, Elephant & Castel, National History Museum, Wimbledon Common, King's College, Kensington Museum, West Hampstead.

Th=Theatre. Rd=Road

付言しておくと、これらすべて徒歩というわけではない。移動手段については明記されていない。また、第二の下宿時の外出先の少なさは、とにかく日記の記述日そのものが少ないためである。これは謎である。

つぎに、どの下宿からも頻繁に出かけている目的地、たとえばチャリング・クロス・ロードやエレファント&カースルなどは本屋が目的になっている。また、繰り返すが、ここにあげたのは記述された地名であり、日記に表れない場所は、この限りではない。

ここで列挙したほかにも、一九〇〇年一一月二七日以来（最後の日付は翌年の十月十五日）、ベイカー・ストリートに住んでいたクレイグ師［一八四三―一九〇六年］をほぼ毎週火曜日に訪ねており、帰途にはトテナム・コートなどにある本屋にかならずといってよいほど立ち寄っている。また、たんに散歩とだけ記された日もある。

いずれにしろ、例の謎の女性 Edgehill 夫人に招かれて二回（二月二一日、四月十七日）ウェスト・ダリッジに行ったり、日本人の友人を訪ねて行ったりするほかは、地名があってもそれは散歩の周回先といってよい。それも、往復で三、四時間はたっぷりかかる場所が少なくないのも特徴である。

全体を見渡して気がつくのは、漱石が、公園、墓地といった広々とした緑地が好きだったということだ。ロンドンにかぎらずイギリスの公園は、どこも信じられないくらい広大で、鬱蒼とした森や林と、冬でも緑を失わない芝地が一面に広がるところが多い。当時の東京なら緑に事欠くこともまだなかっただろうが、それらは整備された緑地、造園された人工の美しさではなかったろう。造園の思想と技術がすでに確立していたイギリスでは、人を癒す、和ませる技巧が公共の緑地に施されていたのである。漱石は気に入った公園を見つけると、連日、長躯することも厭わなかった。

もちろん、公園緑地だけでなく、都市計画による住宅配置や道路整備もすでに実現に移されていたから、ほとんどの住宅地では、舗装された広い道路と歩道、枝葉を大きく広げる街路樹が整然と配されており、それだけで十分な遊歩道になっていた。ロンドンの住宅地にある道路はどこも、思索や瞑想にはうってつけの逍遥路といえる。だからだろう、第三の下宿近辺じたいは貧寒としているが、そこから南へ坂を上がったデンマーク・ヒル、ハーン・ヒル、ダリッジといった緑あふれる住宅街へと、どうしても足が向いているのである。

> 朝、雪晴れて心地よき天気なり。独り野外に散歩す。温風面を吹きて春の如し。倫敦も Denmark Hill 附近は閑静にて聊か風雅の心を喚起するに足る（一月一〇日）
>
> あいかわらず Denmark Hill をぶらつきて帰る。此所は Ruskin の父の在家なりしという。何処の辺にや。（三月六日）（傍点、山本）

そういえば、漱石の小説（いうまでもなく、すべて帰国後に書かれている）には、散歩や歩くイメージが数多登場する。『草枕』や『虞美人草』の冒頭部分はいうまでもなく、どの作品にも散歩の話が出てくる。歩きながら瞑想する性癖がもともとあったのかはともかく、心安らがない異郷の地で、たんなる気晴らし以上のものをそこに見出したことは間違いない。そうでなければ、連日のように散歩に赴く、それもかなりの距離を歩き廻る、その取り憑かれたような姿を説明できまい。

ともかく、記された地名の数としては第三の下宿にいた時期のものが飛びぬけて多くなっている。宿の主人ブレッド氏と同伴で歩いているせいもあろう。一方、第五の下宿における記述はそれより少なくなってはいるが、滞在期間としてはもっとも長いのだから、これをすべてと考えるわけにはいかないだろう。ただ、漱石が留学期間のほぼ半ばにして、なぜ日記を中絶したのか（あるいは、後年、その部分を破棄したのか、秘匿したのか）。それが謎だとしても、少なくともその前半期において、活発に日記を認めたことと足しげく外出したこととのあいだには浅からぬ関係があることは疑いない。

単純にいえば、好奇心旺盛に外向していた目が、精神の奥底へと内向する眼差しへと変貌、転換したということになろう。その証拠といえようか、漱石に多大な影響を遺したとされる池田を河港に送った日（一九〇一年八月三十日）を境に、日記をつける日が激減するのだ。取り残された孤独感が、むしろ起爆剤となって猛烈な勉学へと向かい始めたと見てよい。だが、その勉強が、買い漁った書物との格闘であるなら、なにもロンドンにいなければならない必然はないわけで、その不条理のもどかしさ、煩悶、懊悩こそが「不愉快なる二年」という印象の最たる原因に違いない。言葉の至らなさに対する苛立たしさもあったろう、英語研究ないし文学研究への根本的な懐疑もあったろう。もちろん、日々雑般の不如意もあったろう。それらあらゆる現実の否定性を、持ち前の諧謔心で逆手に取るだけの、大容量の不真面目さに欠けていたといわざるをえない（帰国直後に書かれる作品がユーモア小説ともいえる爽快さを示しているのに、後期になるにしたがい、しだいに深刻さを増していくのもおなじ構図であろうか）。

倫敦を歩く漱石の姿は、ひたむきなだけに痛々しく、それでいて内に真面目すぎる頑なさを秘める。それは、どこか二十世紀という大きな時代に向かう日本の姿を予見させるものがある。

おわりに

かつて内田百閒［一八八九―一九七一年］を主人公にした映画『まあだだよ』（一九九三年）を観たとき、背景装置の設定に奇異な印象もった。すべて、スタジオにおける人工的なセットだったからだ。

理由は簡単で、リアリズム好みの黒澤明［一九一〇―九八年］監督からすれば、昭和初期の東京を描くには、屋外に実物を見つけることなど不可能だったからだ。これは、おなじ時代を舞台にしたすべての映像作品にもいえること。わずか百年余り前のことなのに。

ところが、イギリスでは、十七世紀や十八世紀の話を再現するのでさえ、屋外の現有物で撮るのは不可能ではない。況や、二十世紀初頭のロンドンは街のいたる所に現役として息づいている。漱石がどのような倫敦を経験したのか、その内面世界は別にして、いまのわれわれが追体験することもけっして無理なことではない。住み暮らした建物は、一ヵ所を除いてすべて現存している。歩き、眺めた各所、旧跡はいうまでもなく、公園や墓地、街路風景ですら、まったくおなじ光景を目にすることができる。

わたしが倫敦の漱石に改めて新鮮な思いを抱いたのは、彼が散歩したであろうと推測される路沿いに、寄宿していた家があることを知ったからである。そして、調べてみると、この間の隔たりがほとんどないこともわかってきた。この、あまりの不変性。時の変化があったとしても、その、あまりの緩やかさ。これは、ロンドンという街への新たな畏敬を齎すに十分であった。

その一方で、この街に対峙したときの、漱石とわれわれとの心理的な格差はあまりにも大きい。それは、この間の日本という国の激しい変化によるもの以外のなにものでもない。図式的にいえば、近代国家建設以来、掲げてきた「追いつき、追い越せ」が現実のものとなり、漱石が感じたような負い目や、引け目、劣等感を、今日のわれわれが感じることはもはやない。文明の落差に苛まれることは遠い過去になっている。そこにあるのは文化の異質感だけである。懸隔の軸が時間から空間に変わったとも。

ところが、それでもなお、文化の隔たりとは別のところで感じる落差がある。それは、イギリスの圧倒的な「変わらなさ」である。日本はこの一世紀半近く、激烈な勢いで変わってきた。いまなお変わりつつあり、その勢いは留まるところを忘れたかのようだ。浮足立つのが常態になっている。それに慣れた目からすると、時の止まったようなイギリスの落ち着きには、漱石とは別の意味の劣等感さえ抱く。どうやら、日本とイギリスとの隔たりは、百年経ってなお一向に埋まっていないらしい。

階級と多文化——日英比較を軸にして——

ヨーロッパ社会と暴動

二〇一一年八月、ロンドン北部の町トッテナムで暴動が起こった。ひとりの黒人青年が警察によって射殺され、それに対する抗議行動がきっかけだった（ちなみに、Black Lives Matter（2013）運動が起こる以前のことである）。騒動は、その後、ロンドン周辺の街々をはじめ、やがてバーミンガムやリヴァプールといった地方都市にも広がった。

これには、警察当局、政府ばかりかイギリス国民全体が驚きをもって受け取ることになった。ここ数年、暴動は絶えて久しかったからだ。その後、この騒動は警察による徹底した摘発と、それに対する積極的容認の世論とによって急速に沈静化した。春にあった大学生による学費大幅値上げへの反対行動と違って、この暴動が、もっぱら商店破壊や商品略奪というあまりにも身勝手な方向に流れたことに世論の賛同が得られなかったからである。

ヨーロッパ社会では、長い歴史のなかで何度も暴動を経験している。さらにエジプト、リビア、シリアなどアラブ諸国でも民主化を求める暴動が起こっていて、その記憶が人びとのあいだでは鮮明に残っているところだ。イギリス国内でも、南部ブリックストンの街で一九八一年をはじめ大規模な暴動がいく度も起こったことは有名なニュースであった。

だから、驚くほどのことではない事件のはずなのだが、このときは様相が違っていた。その最大の理由は、暴動のあまりの理不尽ぶりと、低年齢化、黒人ばかりでなく白人の多くがこれに加わっていたことだった。事件後、当局が軽微な事案もつぎつぎに立件したり、迅速な訴訟進行で有罪判決が相次いだり、そのために膨大な数の拘留者が発生したことで拘置所、刑務所が飽和状態にあることなどが報道された。しかし、世論は、いっとき大きな関心を示していたが、急速にそれも萎んでいった。

この事件が、ひとつ懸案として社会に遺したのは、暴動参加者の想像を越えた公徳心の欠如、およびＩＴ機器を介した情報の波及速度と範囲の拡大であった。前者に対しては学校教育の再検討、後者には情報管理の必要性が言及されたが、どちらも、現代社会を素直に反映した事例であって、対応策が容易に実行されるとはならないだろう。

いずれにしろ、暴動といえば黒人と、すぐに結びつける、安易なステレオタイプがしだいに薄れていることは確実なようだ。今回の騒動は、政府による財政支出の削減諸施策に社会各層で反対の声が上がるなかで、その一つとみられている側面もあった。また、従来の定見であった、黒人を主体とした流入移民の反発の表れとは、単純にいえないからである。

もちろん、今回も、暴動の中心は低所得者層に属する人びとで、移民と階級と二つながらの課題を、イギリスはこれから先も絶えず突きつけられていくことになる。それは、イギリスが長年にわたる世界制覇の負の遺産と贖罪の表れであり、それと深部で連動する根深い階級社会とが複雑に絡み合っている、歴史的、社会的十字架だからである。

二〇一六年のブリグジット（Brexit）、EUからの離脱判断は流入外国人を拒否するのが主因だったとする解説がある。しかし、よく分析してみると、EU本部の主導性（initiative）への反発が中心で、離脱賛成の多くがナショナリスト、かつ中高齢者が主体であった。若年層は、もっぱら移民受け入れをふくめEU残留傾向にあった。なにしろ自分たち自身が大陸への移動自由を阻害されたくなかったからだ。それと、票差があまりにも僅少であったことも、EU離脱への積極さを疑わせるに十分だった。移民の阻止だけが国民の総意として、離脱の原因とはいえない所以である。

イタリア半島南部に多数の漂流民が辿りつく。対岸のアフリカ大陸ばかりか、遠くアフガニスタンから陸路やってきて、東地中海を渡ってきた人びとだ。小さな船に、ときには何百人といった数で乗り組んでくる。われわれアジア人にもおなじ光景の記憶がある。

いまではすっかり死語となってしまった言葉に「ボート・ピープル」がある。一九七五年のヴェトナム戦争終結後、国内の新旧勢力によって秩序が不安定となる一方、隣国カンボジアでは熾烈な強権支配と内戦が発生。そこから、一般民衆が定員をはるかに超える小舟で南シナ海に乗り出し、沖合を航行する各国商船に救助されるという、その種の人びとをさす言葉であった。

インドシナ沿海は、マラッカ海峡を経由して東西アジアを結ぶ主要な交易海路。沖合を大型船が頻繁に往来する海洋で、そこに、喫水を越え沈没寸前に人を山盛りにした小舟が漂っているという衝撃的な映像が世界中に流れた。それが、この言葉のもつ激烈さを弥増していた。

また、ポル・ポト政権の自国民に対する大量虐殺は、後々になってからしだいに明らかになることで、その当時は、カンボジア国内で何が起こっているのか国際社会の知るところではなかった。とはいえ、流民の切迫した表情は、国内でなにか尋常ならざることが起こっていることを想像させたし、そのことが、この言葉と画像を媒介にして人道的な国際世論を醸成することにもつながっていた。

救助した貨物商船の多くが目的地としていた日本でも、陸続とやってくる難民を収容すべく急拵えの施設が何ヵ所かつくられたが、もとより一時的、急場しのぎの避難所で、終の棲家というわけにはいかない代物だった。

政府も民衆も、じつは大量の移民受容にきわめて不慣れだったのだ（一九五〇年に設立されていた「国連難民高等弁務官事務所」の存在も、緒方貞子［一九二七―二〇一九年］が一九九一年に最高責任者になって初めて日本人のよく知るところとなった）。

その後、国際的な会議や協議機関で各国による難民受け入れの表明が相次ぎ、アジアから遠く離れた欧米各国もこれに積極的な対応を示したのである。とりわけ熱心だったのはアメリカ、オーストラリア、カナダで、それにフランス、ドイツ、イギリスといったところが続いた。

具体的には、累計でアメリカが約八二万三千人、オーストラリア、カナダがそれぞれ約十三万七千人、フランスが約九万六千人、ドイツ、イギリスがそれぞれ約一万九千人といった数字が見られる（『インドシナ難民問題と日本』外務省情報文化局　一九八一年）。

救助された人びとは香港や日本の港に上陸後、収容施設を経て、それぞれ自身の要望に沿って、前記の受け入れ国へと旅立って行った。さらに、その後、国内の安定化とともに、再び故国に帰還した人びとも少なくない。かくして、インドシナの難民問題もしだいに収束に向かったというのが

「ボート・ピープル」にまつわる事の顛末である。

こうした政治難民に対し、少なからぬ日本人は口では人道をいいつつも、内ではどこか複雑な思いを抱いたものである。たとえ理由はどうあれ、生国に留まることがそこに生まれ育ったものとしての最低限の務めではないかという、ある種のこだわりが澱になって作用しているのである。

というのも、政治的な騒乱や大失策によって、自分の生まれた国を棄て他国に逃れざるをえなくなるという経緯を、これまでの長い歴史のなかで経験したことがなかったからだ。

遣隋使や遣唐使のように、倭寇海賊のように、山田長政らのように、文禄・慶長の役のように、あるいは明治以降のアジア侵略のように、大志や野望を持って国を出ることはあっても、一般民衆が、南米やハワイへ移住することはあっても、国を棄てざるをえないという切迫した事態に追い込まれることなど、ほとんどなかったのである。

だが、一旦緩急ことあれば、住処を、縁者諸共一切を棄て、国を棄てて、他国に出る、「国は棄てられるもの、選べるものだ」ということを日本人はこの「ボート・ピープル」のときに初めて知ったのではないか。日本人として生まれたからには、この日本を棄てることは、非国民、非人間の誹りを免れないと、人びとは長いあいだ思ってきたに違いない。

しかし、自然災害のみか人為の不安定により、住処に安んじられなくなり、よりよい生活を求め離れて行くのは、じつは人間としての生きる基本的な権利なのである。その後に起こった東欧革命で、さらに大量の亡命難民が発生したとの報によって、自らを縛ってきた国民意識のおぼろげな紐帯もさらに緩められ、棄国への寛容心もさらに堅くなったことは間違いない。

これとは別に、何ともやり切れない思いで、「ボート・ピープル」の動きを見守っていた人びともいる。小舟で漂う難民を救助した商船は、多くが日本航路に就航している船舶であった。先述のように、南シナ海は、原油の積み出し地ペルシャ湾と日本とを結ぶ主要な航路に当たっている。

それゆえ、救助後最初の上陸地が否が応でも日本となることが多かった。当時、東アジア地域で、いわば飛ぶ鳥を落とす勢いの日本は、難民救済にうってつけの、また、それが経済的にも可能なほとんど唯一の国だった。それだけに、難民となった人びとも、日本を暮らしの新天地として、一時的な通過地ではなく骨を埋める住処として、第一に指名するものと世界のだれもが思ったはずである。

しかるに、かれらのほとんどはアメリカを、カナダを、オーストラリアを、ヨーロッパの各国を最終目的地として選び、そそくさと日本の収容所を去っていったのである。これを見て、厄介払いしたと胸をなでおろす人がいたことも事実だろうが、その一方で、なぜかれらは日本を定住希望地として指を立てなかったのか、素直にやり切れない思いをした人びとも少なくないはずである。その哀切の思いは、難民の抱いた忌避の理由が、日本人の社会意識、つまり移民や異邦人を容易に受け入れない社会感情にあることがわかるだけに、なお一層やり場のないものになった。

二〇〇〇年初頭、ときの東京都知事は「不法滞在外国人の犯罪が増加している」と、懸念と警告、そして不快をあらわにした。過半の人びとは、この発言を、それに先立つ「三国人」表現と結びつけ、いまさらの時代錯誤と受け取ったが、あからさまの賛意を表す人も目立つほどの数だった。

日々の生活のなかで、外国人による刑事事件に接する機会が増え、情報だけではない正直な実感をかなりの人が持っていた結果であろう。ただ、不法かどうかは措くとして、外国人による犯罪に手を焼いているのはひとり日本のみならず欧米各国、いわゆる先進地域が等しくするところだ。

そして、人間の国際間移動が自由度を増せば、多かれ少なかれどこでも遭遇する事態といわざるをえない。いわば国際化における不可避の社会的コストと考えるほかない歴史的、社会的課題なのである。

永住者を含む外国人登録証を有する外国人を把握することは可能だろうが、査証無し、あるいは一時滞在査証で入国する外国人をすべて把捉することは不可能だ。流入外国人を、管理しうる範囲に制限するといった鎖国状態にすることなど、もとより自由主義を国是とする国のなしうるところではないからである。

だが、どうして日本人は外国人との共棲に消極的なのだろうか。四民平等、万民公平に意を砕き、差別にことのほか繊細な配慮をして已まない日本人が、こと外国人となると、とりわけアジア人に対しては、どこかしら隙間風の吹くような違和感を抱くのはなぜなのか。その一方で、出自も教育程度もわからない白人が、あちこちの語学学校には溢れている。これも不思議な光景といわなくてはならない。

いささか逆説的ではあるが、日本人のなかに根深くある平等意識にこそ、それを解きほぐす糸口がありそうなのだ。

アメリカ合衆国が多民族社会（multi-racial society）といわれる所以は、そもそもの発端から現在に至るまで一貫して、世界中に故郷や先祖をもつ人びとによってその社会が作られてきたからにほかならない。だから、アメリカ社会ほど、じつは「国際化」という言葉と無縁なところはないのである。そもそもの成り立ちからして国際的で、いまさら国際化する必要などない道理。

アメリカは、この地球上に降って湧いたような、何もかもが人工でできた社会といってよい。それゆえにこそ、人間のあいだのさまざまな関係については、法（という人工的虚構）の下の平等がすべての前提にならざるをえないのである。いや、法の下の平等は、近代における人間の叡智で、等しく各国が有する理念ではあるが、アメリカはその凝集体なのだ。

近代イギリスと階級社会

近代の出来星であるアメリカとひきかえ、長い連続性をもつヨーロッパ各国もまた、夙に国際社会と呼ばれてきた。それは、すこぶる多様な言語を操る人びとがきわめて狭い地域に踵を接し、肩を寄せあうように暮らしてきたことに一斑の理由がある。

しかも、それらの人びとが、政治的、経済的な原因から、相互に移動や定着を繰りかえすことで、異民族相互の共棲がごく日常茶飯なこととしておこなわれてきたのである。歴世あれほど人間の交流が盛んだったヨーロッパの人びとこそ、民族や人種の違い、隔たりといったことの不似合いな人びとはいないだろう。

たとえば、民族国家がほぼ確定した十八世紀後半以降、国家の枠組み、障壁が堅固になるなかでさえ、王家や貴族同士は国境などには目もくれず、婚を通じあっていた事実を想起してもよい。十九世紀のヴィクトリア［一八一九―一九〇一年］女王の夫君アルバート［一八一九―六一年］はドイツからイギリスに来た人だし、前エリザベス二世［一九二六―二〇二二年］の夫君フィリップ［一九二一―二〇二一年］もギリシャ王室出身で、その母君はデンマークから嫁した人だった。

ようするに、社会の最上層においては、国民国家の障碍や、その背景にある民族的懸隔などはまったく無意味な境界線で、それらを国民的紐帯として強制され、ときに束縛と受け取られてきたのは、下々の一般大衆であったということにほかならない。

さらに注目してよいのは、階級意識の強いヨーロッパの社会では、流入移民の収まるべき位置が、つねに社会のなかに用意されており、そこにしっかりと組み込まれていたというところだ。

十九世紀中葉のイギリス首相にして作家でもあったベンジャミン・ディズレイリ［一八〇四―八一年］の小説『シビル（*Sybil*）』（一八四五年）につぎのような一節がある。

「ふたつの国民、このふたつのあいだには、なんらの行き来も共感もない。まるでそれぞれ別の地域で暮らしているように、まるで異なる惑星に住んでいるかのように、お互いの習慣、思想、感情には無知、無関心。それぞれ異なった教育で育てられ、まったく違った食い物で暮らしている。お互いにまったく違うしきたりがあって、おなじ法律で統治されてはいない。この富める者と貧しき者ふたつ。」（B. Disraeli, *Sybil*, 1845, S. M. Smith ed., Oxford U.P., 1981, pp.65-66）

ディズレイリの、この一節があまりにも有名になったのは、人びとが内心では考えたり感じたりしていても公然とは口にしなかったことを、小説のなかとはいえ、はっきりと書いたこと。あまりにも単純化はしているが、ようするにまったく性格を異にする二群の人びとが実在するという実態を自覚的に示し、それが、何百年も前から、そしてその後も、結果として今に至るまで続いていること、などが理由である。

二つの国民、すなわち富める階級と貧しき階級というのは、誇張と皮肉を込めて要約的に表現したわけだが、それから一七〇年以上たった現イギリスの実情としては、職業や氏素性などによりさらに複雑な階級分化が進んでいる。

ディズレイリの生きた十九世紀は階級対立の時代ともいわれ、資本家と労働者、富裕層と貧困層の対立は資本主義が抱える根本的な対立、つまり資本家による階級的支配と収奪の結果だと考えられ、イギリスのみならず先進各国における共通の社会問題とされて、マルクス主義などはそれの解法として提起されたものだった。その後、富の再分配について社会改良が進むにつれ、単純な二項対立では説明できない様相が出てきた。それが二十世紀の一つの歴史的側面である。

社会全体の底上げが進行する顕著な表れは、中間層、中産階級（Middle Class）の広がりと厚みが増したところではあるが、それでもなお、ことイギリスにおいては、富貴な階層と貧困階級との格差はけっして曖昧なものではなく、鮮明にして顕然としている。

ということは、イギリスが階級社会といわれる所以が、マルクス主義的な階級闘争史観で分析されるような種類の階級構造ではなく、それとは別の社会だというところに求められることにある。つまり、富や所有の偏在といった経済的な理由だけでなく、政治や、あるいは生活観や文化観といった別の視点で捉えられるような、そういう類いの内容を含んでいるということだ。

イギリスの階級は、おおむね三つに大別される。上流階級（Upper Class）、中流階級（Middle Class）、労働者階級（Working Class）で、場合によって、中流階級はさらに二つ、ないし三つに分けられる（Upper Middle, Middle Middle, Lower Middle）。上流階級は、はっきりと貴族を主体とし、全人口の一％未満の人びとで七〇％の土地を所有しているといわれる。

さらに興味深いのは、国民の約六〇％が自分を労働者階級に属すると答えるところだ。これは、労働者という意識が、非熟練肉体労働という意味ではなく、広義の働く人間を指しているからだ。中産階級の上方になるほど、不労所得によって生活する人びとという通念が長い歴史のなかで培われていたのである。

つまり、イギリスの階級は、たんに職業や所得によって区別されるものではないと考えられているといえる。炭鉱夫の息子が起業で収益を上げ、生活程度が上昇しても、自らは労働者階級と思うであろうし、土地持ちの子が生き方を間違い、零落して路頭に迷うことがあっても自分はアッパー・ミドルだという。また周囲もそう見る。何世代かの持続をへて自他ともに認知が定着するという、時間的蓄積がことのほか重要なのだ。

もちろん、イギリスは封建社会ならざる近代社会であるから、社会流動性（social mobility）は垂直方向にも、水平方向にも保証はされている。かつてならありえなかった職種にれっきとした貴族が手を染めることもおこっている。

しかし、水平方向への移動に比べて、垂直方向における流動性が高い社会ということには、どの分野を取ってもいいにくいだろう。換言すれば、近代社会という指標の在り方そのものさえ問い直さなくてはならないというのがイギリスの現実なのである。とにかく、一筋縄ではいかないのがイギリスの階級なのである。

とはいえ、これらの人びとが然したる軋轢もなく（もちろん個々にはあるにしても大勢とはならないということ）、共棲しうるのは、上位者の不埒な驕慢や下位者の卑屈な恭順がないことも一因になっていよう。

それどころか、とりわけ上流階級にはノブレス・オブリージ（nobles oblige）という社会への無償貢献の精神がいまでも流れており、これが地位保全につながっているし、中産階級にはスノビズムという俗物的上向趣味があって、僻みや劣等感の捌け口となっている。

これらが相互に働くことで、全体としての垂直的秩序維持につながっていることは疑いない。それいじょうに、毎日の生活のなかで、階級間の懸隔が大きいほど、互いがなんらの接点をもたないため、互いの経験を自己置換することもなく、ひたすら無関心でいられるからにほかならない。日常生活のあらゆる場面において、席を同じくすることはない。

あまりにも生活実態が違うために、相互に想像を働かせることができない、よって関心を持つこともないというわけだ。ディズレイリのいう「異なる惑星に住む」からだ。

こうした社会であるから、新たに流入してくる海外からの移民が、上陸したその瞬間から、自分の居場所を、少なくとも精神的な意味における自己の在り処を見つけることができるのである。社会のなかでの居場所というのは、水平方向での場所の確保に比べて垂直方向におけるそれの方がはるかに容易なのである。

右顧左眄という言葉があるように、水平方向では、互いが等しく他者を意識することが強く、それゆえ外来者の割り込みが難しいのに対して、縦方向の序列はよほどの上昇志向がなければ、隙間だらけで、まして下位への新参入に社会はほとんど意を払うことはないだろう。それは、いわば階級社会ならではの特性なのである。

そもそも近代社会は自由と平等を目指すところから始まった。それまでの長い歴史のなかで築かれた堅固な階級体制の牙城が、広範な人びとの自由や平等に対する欲求の昂まりに抗しえなくなっていたからだ。

そうした意志の激昂は、ときには近代をさらに突き抜け、社会主義や共産主義の社会をさえユートピアとして夢想させたのである。ところが、近代的理念の発祥地であるヨーロッパの多くの地域で、そうした志の発現、すなわち近代市民社会における市民的自由と公平の理念が、じっさいのさまざまな社会制度となってつぎつぎ結実するのは当然としても、その一方で、その初心とは明らかに矛盾するような階級序列が、生活の実態のなかで慣習的に温存されたのである。

いや、イギリスでは、王室もさることながら、公選制のない貴族院(House of Lords)を議院のなかに置いているように、制度的にも階級制が維持されているのだ。ちなみに、国会で決議される法案は二院の裁可を発効条件としてはいるが、国王の最終的承認により法として実効性をもつ。いうまでもなく、国王は「君臨すれども統治せず（"The English sovereign reigns, but does not rule."）」の歴史的原則から、実質的な権力を持ってはいないが。

イギリスは、国王を頂点とし、世襲および一代の貴族制度があり、また、労働者階級と自他ともに認める人びとがおりと、どうにも明らかな階級社会であることは否定しがたい。だが、実態的、日常的な階級意識という点から見れば、ヨーロッパ全体が、近代とそれ以前とを分ける隔てを少しももっていないといってよいだろう。フランスの強力な中央集権はごく一部の超優良な高級官僚によるもので、かつての封建貴族の宮廷政治が姿を変えたものにすぎないと考えられる。

これらには別の見方も可能で、つまり、自由と平等を根幹とする近代市民社会という常套句そのものが、じつは近代主義的観念の強い日本の歴史家や思想家、政治学や経済学の学究が抱いた願望の投影ではなかったかとする懸念である。

それは大いにありうることで、日本において西欧文化の移入に血道を上げていた、十九世紀半ばころの、当のヨーロッパは近代主義の頂点にあり、それへの反省や再検討の試みもいまだ論壇や学問の大勢とはなっていなかった。また、移入に努めた人びとの多く、とりわけ知的文化の熟成に与った知識人大衆のほとんどは彼の地に渡ることもなく、したがって、その生活実態を実見することなく、ただひたすらに書物や伝聞によって構想を膨らませ、定説化させていたのである。

むろん、それは批判、嘲笑すべきことではなく、やむを得ざることと許容すべきで、むしろ、実態に接することが容易になった後代の者共により修正、再検証してやることこそが肝要なのであろう。

それにつけても、初等、中等の教科書や入門書においては、近代主義の理念がいまだ無批判に常識化しているのを見ると、歴史家や思想家の果たした責はけっして小さくはないといわなくてはならない（たとえば、一六四二年に起きた議会派と王党派との騒乱。日本では「清教徒革命」などと近代市民革命の嚆矢とされているが、イギリスでは“Civil War”といい、いわば「内乱」という認識。むしろ、一六八八―八九年の「名誉革命」を“Glorious Revolution”として、革命に位置づけている。これは、革命史観に依拠する日本のイギリス史家が、平民による君主処刑という暴力性に注目して市民革命としたのに対して、イギリスでは、王権の擁立、存廃を議会が主導したという議会主義に着目した違いである）。

ただし、ここで急いで付言しておきたいのは、ヨーロッパの実態から遠く離れたところだったからこそ、日本においては、近代主義の理念が、むしろ先鋭的に純粋培養されたところがあるということだ。とりわけ、平等、公平の理念が、日本ほど末端にまで浸透したところは少ないといえる。

その象徴ともいえる、いわゆる戦後民主主義教育は、教育の機会均等、公正公平な教育を中心理念として、差別に対しことのほか繊細な感覚を育んだ。それは、個々の教育現場を越えて社会全体にまでおよぶ広い波及効果を示した。ときには、自由な個性の伸長に目をつぶって、ひたすら均等な教育を、集団としての行動を施してきた。

これが、近代日本の、わけても戦後日本の全体的な、まさに横一列の社会的底上げに寄与したことは評価してよいだろう。そして、個性尊重の、ゆとりある教育が、それへの反省として謳われるようになってもなお、その解放性に馴染めなかったのは、いかに日本の社会が自由よりも平等に重きを置いているかを知るに、またとない格好の機会となった。

階級社会と流入移民

近代に生き延びた階級社会はすべてを呑み込む怪物である。階級制度とはいえ、イギリスを除いて、原則すなわち法的には存在しないことになっている身分制であるから、さまざまな指標によって識別されるのが実態である。

イギリスでは、各種の社会調査のなかで公然と規定分けされており、前記の階級区分もそこで使われているものである。社会学や政治学、メディア論など大衆の行動分析を専門とする学問領域でも、これに基礎をおいていることはいうまでもない。一般の人びとのあいだでは、服装や持ち物、態度、言葉遣い、居住地域、住宅、購買物や場所など、見分ける項目が日常生活のありとあらゆる細部にわたっている。ジリー・クーパー『クラース』(Jilly Cooper, *Class* (London: Eyre Methuen, 1979)) はその機微を見事に描き出している。

とにかく、階級区分が、社会の全範囲に及ぶ、ありとあらゆる現象に顕われたとしても、それはあくまでも人びとのあいだの暗黙の了解として、精神的な側面における人別ということになる。これは、あたかも、記号論でいう「象徴と意味」を地で行く世界であり、イギリス人は、常時、記号論実践者だといえるだろう。

記号と意味は、いうまでもなく、可視と不可視の相互作用、それらの間に成立するもので、かなり閉鎖的で相対的なものである。つまり、その社会に所属しているものの協約的な了解のなかで生み出され、再生産されるということだ。

しかも、その了解圏がさらに細分化され、縦列秩序に配列されるとき、じつは多様な社会が生まれるのである。たとえば、ヨーロッパの労働組合が、日本の産業別組合組織のかたちとはちがって、代々、職能別組合の形式をとってきたのは、ひとつには中世以来のギルド制の歴史を汲むものという背景はあるが、おなじ職能をもつ者同士が企業や団体の枠をこえて横の連帯をもって結びついたからだ。くわえて、それぞれの職能集団では、徒弟から親方にいたる技量と経験による縦の序列、ヒエラルキーがあって、これはまさに社会全体の階級構造と符合しているといってよいだろう。

こうした流動性の薄い社会に、専門的な技術や職能をもたずに流入してくる移民は、下層の労働者階級のなかに（ないしは、さらにその下に）、出自の民族（つまり同言語）ごとに、ひとまずは漸次繰り込まれていくのである。ここにはふたつの意味が含まれている。

ひとつは、異社会に参入した人びとは、どうしても同民族、同言語同士で蝟集するということ。かつて、「日本人は群れたがる民族である。その証拠に、海外に赴任した駐在員などは、自分たちだけで固まって住み、飲み屋に行っても仲間で肩を寄せあって呑んでいる」と、さかんに揶揄されたものである。

しかし、広く世界を見渡せば、一時的に居住するにせよ永住するにせよ、流入してくる外来者が、出身の民族ごとに集住する傾向はどの民族にもみられることである。その代表例はサンフランシスコや横浜などに見られる中華人街。各国に渡った中国人、華僑たちはどこでも寄り集まって暮らしている。ロンドンでも、中心街のソーホー地区にはかなりの規模の中華街があるし、カリブ海地域から来た人びとが南部のブリックストンや北部トッテナムに、インド人が西部のサウソールに、バングラディッシュ人が東部のブリックレーンに、それぞれ固まって各社会を形づくっている。

前記のようなかつて見られた不当な揶揄が、日本人特殊論の神話を生み、海外における日本人の行動にいささかならぬ躊躇(ためら)いと抑制を無形のうちに齎してきたことは疑いない。

ふたつ目は、流入移民が下層に組み入れられるということを指摘できる。いうまでもないが、階級社会の普遍的な基本構造は一点を頂点とし、広い裾野を下方に広げる三角形をなしている。この頂点の上方に、さらに何らかを加えることはありえないが、底辺の下方には、社会に許容力があるかぎり、つねに何者かが入り込む可能性を持っている。

その入り込みによって、それまで底辺にあったものがひとつ上方に昇り、自分が最底辺でないという得心をえることになる。まして、外来者は、発出地で地位や身分、資格等を有していたものであったとしても、当地においてそれらが有意味であるはずはなく、ひとまずは裾野の下方に算入されることが当然視されている。それによって、社会構造全体が安定性を確保することができる、それが階級社会の、冷酷な現実であり、柔軟な吸収力にもなっているのである。

イギリスの階級社会は、もちろん垂直構造になってはいるが、それは上意下達、トップダウンの統制がとれた序列をなしているわけではなく、それぞれが自律性をもつ複合した構成となっている。海外から陸続とやってくる外来者が集住し、意思と利益を共有する地域あるいは集団を'ethnic community'とか'ethnic minority'と呼んでいるが、それは、ひとつの大きな社会のなかに、民族的な小さい社会がつぎつぎにできていることを示している。

この民族的小社会は、それぞれ独立自存で、互いに干渉しあうことなく共棲（conviviality）している。それらが、イギリス社会に、たんなる名辞ではなく、実質的な多様性を与えていることは間違いない。地域の小社会では、すでに第三、第四世代が主体になってきており、肌の色だけでイギリス人としての彼我を区別することは自他ともにできなくなっている。とにかく、各種のスポーツ、芸術、芸能、社会のありとあらゆる場面で、外来者ないしその末裔を排除してはそれぞれ成り立ちえなくなっているのだ。

ついでに触れておくと、ここ数十年、イギリスの学界、論壇で議論となっている問題に「イギリス人らしさ（Britishness）」がある。また、「イギリス人とはだれか（Who is the British?）」の問いかけもイギリス人自身からさかんに発せられている。こうした問いが出されるようになった背景に、二十世紀後半にとりわけ多くの外来者が定住するようになったことがある。

そして、従来、安易になされていた識別、たとえば肌や眼の色、鼻梁や口唇、毛髪の形状、肢体の形姿など外形的、可視的な要素でイギリス人の定義をすることが、もはや容易にできないことを意味している。だが、少し考えればわかるように、先住者と新来者の区別、差別ほど無意味で不毛な議論はない。

いかなる動物も、植物のように地生えしたり大空から降り立ったりということはありえず、すべての動物と土地との関係は必然的な因果関係などない。人類進化論の知見からも、地球上の人類配置は、移動の結果であることは明らかだ。先住者に既得権はあっても、それは、たんなる時間的な先後にすぎない。所謂「イギリス人＝アングロ・サクソン人」ですらが、ケルト人、ローマ人のあとに来た外来民族であり、その後もデーン人、ノルマン人と混血したという歴史的な経過がある。

ちなみに、現代において、そのきわめて象徴的な例が第七九代首相となったリシ・スナク（Rishi Sunak）［一九八〇―］だ。かれは東アフリカからのインド系移民の二世でサウサンプトン生まれ、れっきとしたイギリス人である。しかも、イギリスの国教であるキリスト教ではなく、ヒンドゥ教徒という異例な経歴。もはや見た目だけでなく、人物の故事来歴、信教等々でイギリス人かどうかを判断することが難しくなっている時代なのである。

日本の島国根性

日本の社会が外国人の、とりわけ専門的な職能をもたない外国人の流入に消極的、いわんや、移民などもってのほかと感じるのは、島国に特有とされる排他性や排外意識にあるのではなく、平等性のひじょうに強い社会意識があると考えられる。差別に対する異常なくらいの繊細さがその裏返しであることはいうまでもない。おなじように島国であるイギリスが、旧植民地と宗主国という縁故があるにせよ、流入移民に寛容であるのとは対照的といえよう。

イギリスでも、島国根性（insularity）を自省したり揶揄したり、あるいはときに外交戦略として逆手に取ったりもする（ヨーロッパ大陸の騒乱に対し静観の立場から、一八九六年一月一六日のカナダ会議で表明された「栄光ある孤立（Splendid Isolation）」などはその象徴）。

島国根性として皮肉られるのは、偏狭で、井の中の蛙に似た世間知らずを指すのだろうし、じじつ、イギリス人の消極性や慎重さ、控えめな態度（understatement）などはそれの表れと捉えられている。

だが、こと流入移民にかんしては、非ヨーロッパ圏からの移民のみならず大陸各地からの流入に対して何世紀にもわたって寛容を示してきた（マルクス［一八一八―八三年］、ナポレオンⅢ世［一八〇八―七三年］、シャルル・ド・ゴール［一八九〇―一九七〇年］ら政治亡命者を受け入れてきたのはイギリスである）。けっして島国的な排他性をそこに読み取ることはできない。

そうした島国根性は、むしろ日本にこそふさわしい心性というほかない。日本では、外国人として流入してくる人びとの居場所（働き口とか居住所とかいった物理的な場所ではなく、精神的な収まり処）を、社会のなかに確保することができないのである。

なぜなら、非熟練肉体労働に従事せざるをえない人びとを、いわゆる下層労働者階級として冷厳に囲い込む、そのことに、強い平等意識ゆえの罪悪感から耐えられないのである。それゆえ、現実には合法、非合法をとわず流入する外国人の数は増え続け、下層労働に従事するという実態が急速な勢いで進行しているのに、また、ほとんどの人びとが日常生活のなかでそれを目にし、気づいていながら、これをはっきりと認めようとしないのである。

かりに認めたとしても、自分たちの安寧を脅かす闖入者、異物、不安定要素として、できることなら排除したいとひそかに願う。ようするに、平等社会を維持しつつ、異種との混棲を実現する方途は、自らも異種であるとする自己認識の大胆な変革を措いてほかにはないはずなのだが、これがなかなかに容易ではないということだ。

いま、東京が世界的に注目されているという、興味深い現象がある。東京の街そのものを体験したいという目的で、わざわざやって来る外国人も少なくない。渋谷や原宿、秋葉原といった街は、そうした外国人で溢れている。あるパリの有名なディザイナーは、それらの街頭に見られる若者風俗の度外れた色彩感覚や服飾傾向に刺激を受け、自分の制作に採りいれているともいう。

また、新宿や大久保周辺における東アジア風俗の賑わいにも関心が寄せられている。キッチュともいう、混濁とした文化が醸し出す危ういほどの熱気が、世界的にも珍しがられているのだ。

つまり、東京が、一時、失いかけていた、都市のもつ猥雑さを取り戻しつつあるということだろうし、世界がその面白さに日本人自身より鋭く反応しているということなのだろう。ただ、それでもなお、日本人の側が、それらを多様性の顕われとして許容するのではなく、どこか落ち着きのない、いわば例外的で泡沫的な社会文化現象として認識しているところがありはしないだろうか。

あえていえば、均質社会への脅威としてすら受け止めている傾向がありはしないか。これは、移民や難民受け入れに難色を示し続ける心性と同根だし、階級社会ならざる平等社会の構造的アポリアのひとつでもある。

イギリスと日本を比較してみれば

文化が、新奇なものによる混沌によって揺り動かされ、刷新されてゆくことは万古不易の現象である。その新奇さというものは、内部の創生のみか外来の異種によっても生み出される。しかし、人間や情報の国際間移動がこれほど活発になっている時代にあっては、もはや内部と外部を分け隔てる合理性は希薄にならざるをえない。

世界の、いわゆる欧米先進国は、どこも、悩みや課題を抱えつつ多文化状況になっている。すでに行政や教育において、それが制度化されているところも多い。これは、ある意味、歴史の必然過程ともいえる段階に入ったと考えてもよいだろう。しかるに、日本では、現実の方が先行しながら、社会的な意識として、ましてや制度として、それに見合う対応がなされているとはいい難い。

イギリスを紹介する日本の書物には「階級制の残る社会」とか「いまだに見られる階級社会」などといった表現がある。これには、階級がなくなった平等な社会こそが社会進化の表れだとする無意識な前提がある。たしかに、平等意識の強い日本人から見ると前近代的な遺制のように思えるのだろう。だが、イギリス人の日常感覚からすれば、取り立てて言上げするほどのことのように思っていないし、むしろ楽しんでいるところすらある。それは、ほとんど本性的な根深さで、歴史を超絶しているともいえる。

階級社会の功罪、是非をいちがいに論断することはできない。また、世界的な自由化の波の結果、各地で経済格差の状況が生まれ、これが新たな階級社会を生むのではないかという懸念もある。富の再分配と自由化志向という矛盾した課題を、世界はこれから解決してゆかなくてはならないだろう。それでもなお、社会の多様化傾向は押しとどめられない方向に進むはずで、日英の社会と歴史の対照は、それに向けた参考に大いになるはずである。

隔ての文化

土地の公共性

ある土地に建物を建築すると、本体の建造が終わったあと、最後の仕上げとして建物周辺の工事に移る。外構工事という付帯の工程である。植栽を施したり、敷石を撒いたり、芝生を敷いたり、そして、仕舞いには敷地の周りに柵や塀を築く。植木を生垣として並べることもあろうし、竹垣や木材を組んだり、コンクリートや煉瓦で完璧に遮蔽することもある。黒板塀に見越しの松、これは江戸時代から明治くらいまでの街景色にひとつの風情を醸し出していた。

アメリカ人の日本文学研究者、エドワード・G・サイデンスティッカー［一九二一―二〇〇七年］は日本と西洋の街並みの違いにこの一点を見出した。

塀のある国と塀のない国となると、日本はアメリカより遙かに多いように思える。私の住まいのあるまわりもみんな塀だらけだ。森鷗外の『雁』に出てくる無縁坂を挟んで東大とは隣どうしだが、日本を象徴するこの大学も殺風景な塀に囲まれている。(「鍵の国、塀の国」二〇〇一年、『谷中、花と墓地』みすず書房、二〇〇八年、一〇五頁)

最近は、国や自治体の建築基準に特例が設けてある。都市の人口集中地では、大学などの公共性の高い建築物ばかりでなく、一般の企業などでも、新築や改築の場合には、高さ制限を緩和するのと引き換えに公共空間を造れ、差しだせという。つまり、建物の周囲に廻らすはずの塀や遮蔽物を取り払い、なおかつ植栽などを配して、一般の人びとも敷地に立ち入ることができるよう誘導する措置がとられている。

これは、少しでも容積の欲しい施主に高さを優遇してやるご褒美と交換に、公共の空間の方を増やす。本来なら私有地のはずの土地を供出させようという、自治体の苦肉の策といえるだろう。その甲斐あってか、都心では、敷地いっぱい、道路に面してビルが迫っていた都市景観に、わずかではあるが緑地や、人びとの一息つける空間ができるようになってきた。

土地の所有権はそのままに使用権を公共に譲れと、なかなか知恵を働かせた悪だくみといえようか。

　サイデンスティッカーがいうように、道路と建物を仕切る塀などがなく、どこからでも建物に近づくことができる風景こそ、アメリカの住宅街に典型的に見られる風景ではある。しかし、道路とその家の私有地との間には、厳とした見えない境界が存在するのもアメリカの常識である。その常識を知らないために、徒（いらずら）に撃ち殺された日本の高校生もいた。無際限に広がる芝地に囲まれた住宅という風景表象は、いかにもアメリカの自由性を具象するステレオタイプで単純、明快な表象でもあった。

　そうしたアメリカの常識に慣れた目からすれば、日本の住宅地はもとより、旧来の街並みが、並べて塀などの囲い物に守られているのはことしも排他的、人を寄せつけない奇異な光景に映るのだろう。だが、塀がないのは、どうもアメリカの専売もののようで、日本のみかヨーロッパでも、塀や垣根で自他、内外、彼此、あちらとこちらを仕切るのがむしろ通有というべきだろう。自有地と他有地とを仕切るという精神は、私的所有のそれとともに古いものだろうし、アメリカがその例外であるはずはない。むしろ、自由や連帯の大儀が強すぎて、仕切りを不可視のものとした巧妙さこそそこに嗅ぎとるといったら、いいすぎであろうか。

　石を積んだり植木を並べたりして垣根を延々とめぐらす風景は、イギリスの田園風景に不可欠な主題である。イギリスには屹立する山塊がないかわりに平野の部分もまったくの平坦ではなく、多彩な起伏に満ちている。日本でいえば、さしずめ里山の連続する姿こそイギリスのごくありふれた田舎の容姿といってよい。それをさらに彩っているのが、パッチワークのように広がる塀垣の模様なのである。右に左に傾斜した大地のうえ、緑なす牧草地に並んで黄金の麦畑が一面を覆い、さらに開墾中の土色がそのとなりに広がる。ほぼ直線の塀垣で繋ぎ合わせたような一望は、昨日今日の出来星ではない厚み、深みを感じさせる。

それも道理で、歴史上に名高い「囲い込み（Enclosure）」を全国的に展開したのもこの国であった。もともとは共同耕地や未開墾地であったところに、各所に散在していた自有地を集中的にまとめ、塀垣で仕切り、排他的に囲い込んだのがこの運動であった。領主自身がおこなう場合もあれば、'freeholder'といわれる「土地謄本保有権」を有する自由農民が領主との合意のもとに進める場合もあった。いずれも、かなり暴力的におこなったことは間違いないだろう。すでに十五世紀の後半から始まったこの運動もはじめは羊牧業への転換が目的だったため、「羊が人間を駆逐する」というトマス・モア［一四七八―一五三五年］の有名な言葉を生んだのだった。

その後も貴族ジェントルマン層を中心に、新興の成功した商工業者も加わって土地の集中化が進んで、今日の大土地所有者が生まれることになった。歴史上、「囲い込み運動」が名高いのは、これによって土地を失い、排除された多くの人びとが浮遊化し、都市に流れ込み、工場労働者に転化する。その結果、イギリスの産業革命は飛躍的に進化し、資本主義経済をゆるぎないものにしたからだとされている。しかし、それよりもむしろ、集約された土地の巨大化によって、貴族ジェントルマン層の大土地所有が固定化。イギリスの階級体制を顕著なものとして、その後も長期にわたって、生き長らえるようにした側面をこそ強調すべきであろう。

区画された土地

余談をひとつ。

近頃は日本でも健康維持や体力増進のためにウォーキングをする人が増えたが、イギリス人は、その点にかけて大先輩といえる。もっとも、眉根を上げて猛然と歩きに専心するという風情はどこにもなく、悠揚迫らぬ雰囲気で緩やかに歩を進めるのがつねの姿だ。市街地を外れると一面の草原で、そこには歩行者用のさまざまな設えが施してある。代表格は、'public foot-path'。「公共歩道」とでも訳せるその道は、全国各地、津々浦々、縦横無尽に設けられており、専門に紹介するガイドブックもある。

土地には、いうまでもなく、所有者がいる。公的な共有の土地については、整備されていれば緑地や公園となっているが、そうでない場合も、イギリスでは'Common'として誰もが入り込めるような森や林になっている。そして、私有地でも、人がただ通るだけの道としてこの「公共歩道」が設定されているのである。

もう想像がつくだろうが、そういう土地は、かつては公共の土地だったところに、囲い込みによって私有地化されたところが多いのだ。ここがいかにもイギリスらしいのだが、私有化された土地のなかに市民の通り道として、通行権を勝ち取った結果が、フットパスの存在なのである。なかに、「通ることまかりならん」とこれ見よがしの看板を立てる地主もあるが、ニュースになるくらいだから、かなりの特殊ケースだ。

広大な牧場のなかを延々と続く道もあれば、ゴルフ場のなかを横切るところもある。生垣に施された出入り門には、牛や羊が逃げ出さないよう'kissing gate'という独特な門扉があるし、石垣にぶつかれば、それを乗り越えるようにオーク材の堅牢な階段が造作されている。囲い込みが生んだ塀を、囲い込みに抗する市民の権利が越えて行くという、歴史の象徴的な風景がそこには見られる。

余談をもうひとつ。

イギリスの各地にある競馬場へ行くと、メイン・スタンドにある観覧席がいくつかの区画に仕切られているのが見られる。それぞれに入場料が違うのだけれど、それがあまりにも露骨なのである。競馬観戦の醍醐味は、何といってもゴール寸前のつばぜり合いを観賞するところ。その、もっともゴール板（英語ではwinning postという）に近いところは、この競馬場のメンバーだけが入ることのできる一画で、一般の入場者は近づくことさえできない。

一般者も、ゴールからの距離に従って、いくつかの区画に分けられている。料金がその距離に比例しているのはいうまでもない。これらの区画のことを、イギリスでは'Enclosure'といっているのである。そして、より上位にいる人びとは下位の区画へ自由に入れるが、その逆は許されないという、まことに階級社会の縮図を示すかになっている。ここにある仕切りは、有資格のものがそれ以外のものを排除し、寄せつけない遮蔽の意味を持っている。

閑話休題。

イギリスの地方道をクルマで周ると、行けども行けども尽きない長大な塀に沿って走ることがある。筆者のたまたま知る貴族の屋敷は、一辺が約四・五キロの直線に四囲をかこまれた土地にある。ちなみに、この一辺の長さは新宿・池袋間にほぼ相当する。もちろん、これは住まいの敷地で、そのほか、国内各所に所領地を有していることはいうまでもない。

イギリスの自然は美しい、この現代の、土地開発の激しい時代にあって、よくも自然の山河が残ったものと、感嘆の声がよく上がる。しかし、大土地所有の制があったからこそ自然が保存されたという皮肉、逆説も知っておかなくてはならない。富の再配分が公平になされるところでは、そして、その一方で自由を大儀とするところでは、その公平さと自由さで、自然の改造が無辺に拡大することになる。土地所有の公平さは、当然のことながら細分化をともなうわけで、それが改造の乱雑を促進する。イギリスは、人類の智慧としての公平さに、おそらく目を瞑ったのであろう。

イギリスでウォール（壁'wall'）といえば、いくつかめぼしい構築物がすぐ挙がる。なかでももっとも代表的なのが、イングランドとスコットランドとを仕切る「ハドリアヌスの防壁（Hadrian's Wall）」である。東の北海に面するニューカースルからカーライルまで東西一一七余キロにおよぶ長城である。西暦紀元前後にブリテン島に進駐したローマ軍は、先住のケルト系住民の果敢な抵抗に遭う。とりわけ執拗、勇猛果敢であったのは北方のピクト族やスコット族。全身に異様な刺青をほどこし、夜討ち朝駆けを繰り返して遠来のローマ人を震え上がらせたという。

ときはハドリアヌス皇帝時代（七六―一三八）、長大な壁を築いてこれを防ごうとして成ったのが件の石壁である。世界遺産にも登録されているこの連延たる人工物を、イギリス人はことのほか誇りにしている。もっとも、万里の長城を見慣れているわれわれアジア人の目からすれば、いささか片腹痛い形(なり)で、高さも幅も中国モノには遙かに及ばない。いうまでもなく、兵士の数にせよ武器の質にせよ、中国のそれの方が圧倒的であったからに違いないが。

ブリテン島に進軍したローマ人は、各地の都市にもうひとつの壁を築いた。都市の周りを取り囲む市壁（city wall）である。もっとも有名なのはロンドン市のそれで、一辺一マイルで、一方はテムズ河に面しているから、三方を囲んでいる。この囲まれた一角が旧市街で、いまも金融の世界的な中心地として、語彙シティの語源となったところである。築かれたのはローマ時代のことではあるが、中世、近世を通して都市アイデンティティの象徴であった。

ブリテン島のみならず、北ヨーロッパの地域は一面、かつては漆黒の森であった。延々と広がる大海のような森林のなか、離れ小島のように点々と拓かれたのが都市であった。だから、都市と都市とのあいだを結ぶ街道は、岩礁を避けながら進む航路のようで、素早く抜けきるのが何より肝要。一旦、路端から樹林に入れば、無事には生きて戻れないような、暗黒の森が果てなく続いていたのである。森は暗黒、怖い場所、足を踏み入れてはならないところだった。グリム童話に代表される、ヨーロッパにおける森の物語は、たんなるお伽噺の空想事ではなく、切実な現実だったといえよう。

そこから、ヨーロッパの空間観には、地理上の平面世界に明確な区分けがあった。すなわち、「都市（city）」と「田園（countryside）」という二つの世界区分がまずあって、さらに都市を庶民の暮らす市街地（town）と王侯貴顕の宮廷（court）とに分けるのである。そして、都市と田園とを厳然と分けるのが市壁であった。それは、ただたんに空間の配置が異なるというだけでなく、意味の質が異なることを示す世界表象の違いなのである。市壁から一歩外に出れば、そこは、人知の及ばない神秘の世界。妖精や悪魔が跳梁跋扈する魑魅魍魎の世界であった。それに対して、市壁の内側、都市は、人為のあまねく支配する、文化が生まれ、生み出される世界。市壁を隔てて、まったく異なる世界が並存すると考えられたのである。

市壁内に住む人びととは、「祈る人」と「戦う人」、「働く人」の三種であった。「祈る人」とはいうまでもなく神に仕える聖職者であり、教会や礼拝堂、修道院などを中心に蝟集していた。ヨーロッパにおいて、貴族は騎士の流れをくむ末裔であり、その頂点に立つのが君主であった。万世一系を尊ぶ血統主義ではなく、かずある諸侯の、相対強者が王国を律するという傾向が濃厚であった。したがって城郭、宮廷に集う人びとが、ここでいう「戦う人」である。

そして、「働く人」である。市街地に住まい、商工業に携わる人びとをさすが、市壁外の大地を耕す、農耕の人びとも、もちろんこれに含まれる。

森は、市壁の外に広がる大海原ではあったが、「戦う人」である王侯貴族の戦闘訓練としての狩猟の場でもあった。そして、市壁近辺でおこなわれていた農耕が、耕作技術の進化にしたがい、拡張し、耕地が森を蚕食するようになる。森の木材資源は、建築用材ばかりか、煉瓦や陶器、各種金属溶解の燃料材としても次々に伐採される。荒蕪地となった平面は耕地や牧草地として、人の用に供するために利用されていったのである。

農業生産の増大は、世界の各地で見られるように、供給と需要の相互作用で展開する。供給の面においては、天候地水など自然環境を基礎条件とし、耕作地の拡大と農業技術の革新という人事の関わりによる、生産量の増加があった。需要については、人口増加を主要因として、食料や飼料の増量を求める要請の高まりがある。

この二つの要素は、おそらく完璧に噛み合ったことはなく、つねにいずれかが過剰か過少かの不均衡にあったに違いない。だが、結果としては、ヨーロッパの人口増加ときわめて密接な関係があったことは確実である。そして、この人口増加こそ、市壁の無意味化を促進したのである。

市壁は、もともと外敵を防遏するのが主たる目的であった。しかし、市壁内の人口増加が集住の均衡から過剰へ、さらに飽和状態になるにしたがい、市壁外へ住居地域が拡大するようになる。そのためには、市壁の周辺にある開墾地の拡張が前史として進んでいたことが前提となる。さらには、外敵との戦闘地域が都市域とは遠隔のところで展開されるようになったという背景もあろう。

パリのように、同心円状に市壁をつぎつぎと膨らませていった都市もある。最終的には市壁をいっさい取り払い、ブールバール（Boulevard）という大通りに改造したのだが、十九世紀も半ばを過ぎてからであった。もはや、都市が市壁を必要としなくなった、市壁の存在価値を認めなくなったということだ。

一方、ロンドンは、すでに十七世紀には市壁外への市街地の拡大が進行していた。これは、イギリスがかなり早い段階から国内安定が実現していた証拠とも考えられる（もっとも、市内テムズ河に架かるロンドン・ブリッジは長いあいだ唯一無二の橋梁だったことは、ほかでも触れた）。

ロンドンにおいて、市壁外への拡大が、流出、逃避というかたちになって顕われたのは興味深い。

ヨーロッパの都市はどこでもそうだが、上下水道の完備はかなり時代がたってから、おおむね十九世紀も後半になってから着手された。ということは、汚水や汚物の排出が地下化されず、いつまでも地表で、つまり街路を排出路として利用していたということだ。さらに、排水が市内全体で組織的に構成されていないため、流路を考慮して円滑に処分されないだけでなく、各所に遅滞が生じ、汚泥となって堆積していたことも意味する。歩道が一段高くなっているのは、馬車の往来から歩行者を守るためという説もあるが、この汚泥を避けるためという切実な理由もある。

路面が汚染の猖獗を極めていたとなれば、疫病、流行り病の発生源となるばかりか、鼻をつく悪臭が日常的に立ち昇り、市街地全体に滞留することは必定。こうした都市の悪臭、汚濁を嫌って、上流階級や富裕な商工業者は市街に邸宅ないし別邸を持つようになる。それも、市壁の西郊に向けて流出したところにロンドンの特徴がある。

ロンドンは北緯五〇度近辺（日本でいえば、北海道のさらに北、カラフトの真ん中あたり）にあるため、本来ならかなり寒冷な気候のはずである。しかし、そうならないのは、ブリテン島の西側沖合、北東大西洋に、アメリカ南部メキシコ湾でしっかり温められた暖流が南西から流れており、その上を偏西風が吹き渡ってくるからである（さらに北にあるノルウェイのフィヨルド海岸が冬でも凍らないのも、この海流のおかげ）。

そのため、一年を通して南西の風が吹き、気温の激しい変化を和らげている。当然のことながら、この風は、都市で発生した噎せかえる悪臭を東方向に吹き流すわけで、その西方の風上へと、余裕ある人びとは都市から逃げ出したのである。その様子は、すでに十七世紀の地図面に明らかで、市壁の西側（West End）にいくつもの建物が見られる一方、東側には野原が広がっている。

ちなみに、この東側（East End）は、その後も都市開発の進行から完璧に取り残されることになる。さらに、帝国の拡大に伴い出入りする船舶のため河港の整備が進むと、倉庫群や港湾労働者の集住地へと変貌してゆく。さらにはそれが、混濁したスラムへと転化するようになっていったのである。市壁の西と東とで、これほどの激烈な対照をなす都市は、おそらくロンドンをおいてほかにはないだろう。

ロンドンのシティには gate のつく地名がある。'Aldgate', 'Moorgate', 'Newgate', 'Ludgate', 'Aldersgate', 'Bishopsgate', 'Cripplegate' の七ヵ所。これらは、市壁に取りつけられた門、市門である。これらを線で結ぶと、かつての市壁をたどることができる。頑丈な門で、市内への流出入を厳しく取り締まったという。いまでは地名に遺るだけだが、市壁も一部遺跡として保存されている。

こうした市壁の遺跡は、イギリス国内、古い都市にはどこでも見られる。北の古都ヨークでは、市壁の上が遊歩道になっているほどきれいに整備されている。何ヵ所かにある狭い市門を自動車が肩をすぼめて通ってゆく光景が見られる。もっとも、そのようなよく保存され、現代の使用にも耐える市壁の遺跡は、ごく少数で、ほとんどは捨ておかれたままになっている。

壁という境界はこちらとあちらを分け隔てるもの。それは、包摂と排斥の両面をもつ。防護の最終線と攻撃の最前線でもあった。ただ、いまや、差別と排除が忌み嫌われる時代になった。

現代思想に、「液状化」というコンセプトがある。あらゆる物事の自律性が揺らぎ、境界線が曖昧になる。屹立してた物事そのものが、溶ける角砂糖のように崩壊しつつあることを指す。自律の根拠としての壁が意味を失いつつあるということだろう。

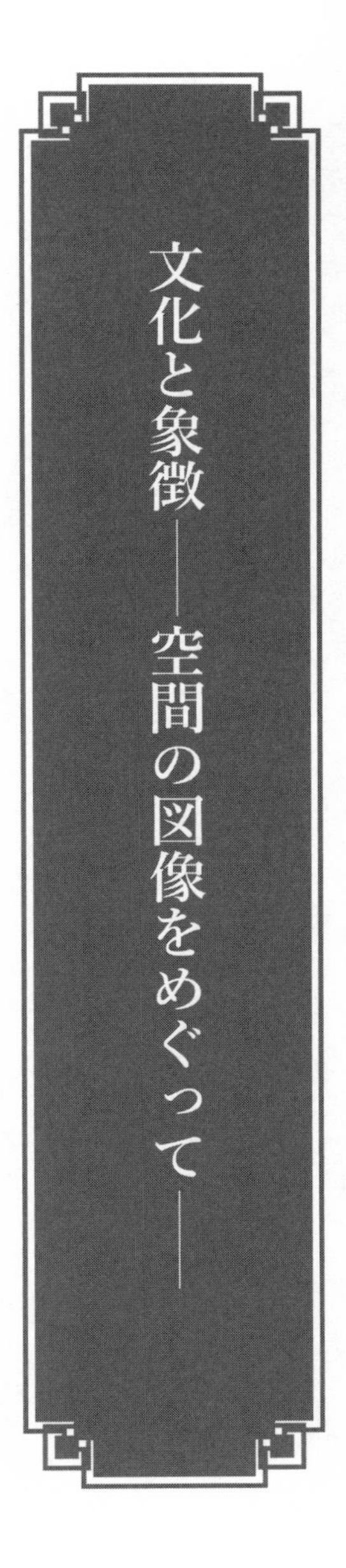

文化と象徴——空間の図像をめぐって——

はじめに

もう何年も前のこと、ロンドンで観たロイヤル・シェイクスピア・カンパニーによる『リア王』の舞台が忘れられない。その冒頭、第一幕第一場である。幕が開くと、全体に黒い装置のなか、床の中央、一〇メートル四方ほどの広大な白紙が敷かれ、そこに領土を連想させる黒い線、すなわち地図が描かれている。

この作品を知る人なら、その地図が何を暗示するかすぐに判る。通常の演出であれば、舞台中央にやや大きめの机かそれに類する台が設置され、登場する人びと、とりわけリア王が廷臣に命じてその机上に地図を広げさせ、そこから有名な領土分割の条々が始まることになる。

ところが、このときばかりは違っていた。この、あまりにも大きな紙にまずは驚かされ、さらには、その上に演者たちが続々と、それこそ土足で踏み躙るがごとく現れることに眼を奪われることになった。そして、リアみずからその上を右に左へと動き、それぞれの地方領土を三人の娘たちに、いや、結局は二分割して分け与える、所謂、生前贈与をするのであった。

物語は、その後、父娘が対立、さらにはフランスとの戦争も加わり国土は潰乱。国家そのものが混迷を深めてゆくことになる。無数の人びとが舞台上に現れては去り、争い、絶望してゆく。それに伴って、足下に広げられた地図の紙は、時を経るに従い裂け、破れ、千々に散乱してゆく。終いには、紙片すら残ることなく真っ黒な舞台面が曝け出されるまでになっていた。それはまさに、物語に描かれた人びとの心理のみならず、国家のありようを象徴するかのようである。まことに寓意的、『リア王』という作品そのものの本質を可視化して余りあるところであった。

われわれ人間の、世界内存在としての自己定位（self-orientation）、自己認識（self-identification）において、時間と空間はきわめて原初的な標識である。イマヌエル・カント［一七二四―一八〇四年］は、時間と空間を純粋直感のア・プリオリな形式と定義した。われわれを取り巻く現象の世界をどう捉えるのか、そのさいの最初の段階が時間と空間という二つの形式にかけられるというわけである。

ここでは、人間の空間認識を、「地図」というごくありふれた物を通して、その一端なりを描出してみようと思う。それは、空間把握の特性を明らかにすることになるだろうし、「地図」に仮託して表現されるさまざまな特異性も炙り出されることになるだろう。

それとともに、「地図」がいかに文化的な産物であるかも明確になるはずである。すなわち、「地図」は空間のありようを精確に把捉したもので、人間や社会の主観的な意図とは無縁の、客観的で科学的、数学的合理性すら具えた、価値中立的な道具と一般的に思量されている節があるが、ここでの議論は、そうした一般的な通念への反証となるものである。

また一方、「地図」が文化的であるということは、通時的かつ共時的に相対性をもつという意味でもある。つまり、さまざまな社会において、さまざまな「地図」がありえるし、またひとつの社会においても、歴史の過程において、さまざまに多様な「地図」が存在してきたということである。ともあれ、「地図」という空間の図像をめぐって、多様な議論の可能性を探るのがここでの目的である。

地図の定義

地図に関する諸事情を考察するに先立って、地図の基本的な定義を一瞥しておこう。

「地球表面の一部または全部を記号、色彩などを用いて一定の縮尺で平面上に表現したもの」（小学館『日本国語大辞典』)。「地球表面を平面に表示したもの。目的によって種々の地図投影法がある。表示される事物は一定形式での記号(図式)で客観的に表現され、地表の形は一定の縮尺で正しく縮小して表示される。縮尺とは現実の事物の大きさと地図上の表示の大きさとの比をいう。……地図はその目的・内容と縮尺によって分類される。地形、植生、文化など土地の状況を全般的に表現したのが一般図。工場分布、土地利用、道路交通などの特定テーマを表現したのが主題図という」(平凡社『小百科事典』)。

基本的な定義としては、地球表面上の様子を平面に描出したものとなるわけで、同様に描き出したものであっても、地球儀や天球儀のようなものは地図とはいわない。つまり、三次元立体の実態を二次元平面に描き起こしてはじめて地図というわけだ。そのために、縮尺比率が大きくなる(大縮尺という)にしたがって図面に歪みが生じてくることになる。夙に、さまざまな投影法によって世界地図が試みられてきたが、その試行が止まなかったのはここに理由がある。どれひとつとして、精確な地球の姿を二次元の平面に写しえることができなかったからである。

より正確にいえば、いかに縮尺比率を小さくし、実態をあるがままに描出しようとしても、地表が球面上にあるかぎりは、根本的に歪みが生じざるをえないということ。日本の国土地理院発行による五万分の一地形図ですら、図面の上辺と下辺では微妙な誤差が修正されているのである。

もうひとつ加えるなら、地表は、どこも海面とおなじ高さで平坦な土地がどこまでも拡がっているということはありえない道理で、つねに平面にたいし垂直方向に高低差のある立体構造をなしているのが実相である。これを平面に描き写すこともまた、基本的には不可能なことである。地形図では、同じ高さの地点同士を線状に繋げた等高線や、海抜地点を表す水準点記号などを用い、また海図では水深を示す数字ないし色彩を使って、この限界を解消しようとしている。しかし、それらはどれも記号的な約束事であり、地図の読み解き（読図）には、この約束事を予め習得しておく必要があるということ。ここに地図が文化の産物である所以の一つがある。いずれにしろ、地図が、そうした宿命、限界を背負ったうえで製作され、読解されているということをまず了解しておきたい。

つぎに、地図の種類をあらまし挙げておこう。目的別の種類としては、地形図、地勢図、地籍図、地質図、機構図、気象図、土地利用図、交通図（道路地図、鉄道路線図、船舶航路図など）、人口分布図、海図、航空図、公図（土地登記用）、主題図（官公庁製作）、観光案内図など。区域による分類では、世界全図、大陸図、大洋図、各国図、地方図、行政区分図（日本の場合は都道府県市区町村図）、都市街図など。さらに、地図製作の元となる原図作成にまつわる分類としては、実測図、衛星写真、航空写真、編集図、見取図、推測図、略側図などがある。

ここでなによりも注意しておきたいのは、たとえば国土地理院発行の地形図（五万分の一図や二万五千分の一図など）こそが正確無比な基本的、客観的、科学的な地図で、それ以外の鉄道路線だけを描いた地図などは地図とは呼べないとするのは、明らかに錯誤だということだ（堀淳一『地図』

現代書館、一九九二年、三九頁）。

右にあげた地図はどれもそれぞれの目的、用途、意図をもって製作されたもので、すべて、地図としては等価なのである。人間が考案し、表現し、ときには世に広く流布されて存在するすべての地図は、そこに上手い、下手があるのは不可避であることは言うまでもないが、その価値において、優劣は一切ないと考えるべきなのである。

後述のように、どのような地図においても変形（デフォルメ）が必須であり、それはたかだか程度の問題にすぎず、それをもって地図であるかどうかの妥当性を問うのは不合理である。極端な変形がなされていても、それで伝えるべき情報が伝達できるとすれば、地図としての価値を聊かでも落とすことはありえない。一般的な思念において、地形図だけが地図として唯一絶対とする思い込みがあるとすれば、それが根拠を欠いた錯覚であることは、このさい踏まえておいてよいだろう。

それでは、何が錯覚を生んだのだろうか。それが本章全体の主題なのだが、ひとこと先走って述べておくと、「問題構制の錯誤（problematic fallacy）」にほかならないということだ。つまり、地図製作（cartography）には、その模範となる実在の世界があるわけなのだが、この実在世界は地図とはまったく別の存在だということ。たとえ一分の一の地図（理論上でしか存立しえない）を作りえたとしても、その地図と実在（entity）は別の存在である。すなわち、地図とは本源的に、すべての実在の「似姿」なのである。それは、版画作品がすべて複製作品で、本物・偽物の区別がつかないこと同義である。

したがって、実在の世界こそが原存在で、それに比較的近似した地図こそが科学的であり、それ以外は価値序列上における程度の差異であるという問題の立て方（問題構制）そのものが誤っているのである。地図はあくまで描かれたものであり、地図と実在とのあいだには、埋めることのできない溝がつねに存在する。この問題については次節で改めて論じるが、地図が描かれた図像であるという点では、言葉とひじょうに似通っていることは指摘しておいてよいだろう。しかも、言葉と地図といえば、地図の起源についても連想が繋がっているのである。

「地図の起源は歴史に残っていない。ある場所の位置を示し、ここをあそことの関係で表わすスケッチを描こうと誰かが最初に思い立ったのが、いつ、どこで、どういう目的によってかは、わからない。それは何千年も前だったにちがいない。おそらく文字が生まれる以前のことだったろう。……（中略）……いろいろな証拠によってわかるのは、地球上の多くの異なった地域で、多くの人びとがそれぞれ独自に地図を考えだしたということである」（John Noble Wilford, *The Mapmakers: The Story of the Great Pioneers in Cartography from Antiquity to the Space Age*（Alfred A. Knopf, 1981）鈴木主税訳『地図を作った人びと』河出書房新社、一九八八年、二一頁）。

たしかに、空間のありよう、状態を指し示すのに、言葉（文字）を使うより図像で描くことの方がはるかに容易で明晰である。言葉で書かれたり、あるいは話されたりした指示、案内がいかに精細、精緻を極めようとも、一片の粗略な図面の伝達力には及びようがない。これはわれわれが日常にしばしば経験していることからもわかる。

斯界では、「地図の歴史は古い。人類の最も貴重な文化遺産である文字よりも古い」（織田武雄『地図の歴史：世界篇』講談社、一九七四年、三頁。同じく『地図の歴史』講談社、一九七三年、一六頁も参照）とされ、その正確な起源はわからないことになっている。おそらく、紀元前四千年頃に始まるエジプトやメソポタミヤの古代文明の時期にはかなり整理された地図が現れていたのだろうが、それすらも現存していない。さらに、それ以前に必ずや存在していたであろう図像についてはまったくわかっていない。

歴史上に、たとえばバビロニアの世界図（紀元前七百年頃）とかプトレマイオスの世界図（一五〇年頃）などが伝わっており、また近代以後は、地域あるいは世界に関する数多の地図が試みられ、現存もしているが、これを地図進化の過程と捉えることもまた誤りにほかならない。

精確さの度合いを増したことが進化であるとしても、前代のものを不正確だからとの理由で排除することにはならないだろう。それぞれの地図がそれぞれの時代における知見（測量技術と空間への構想力）の成果であり、要請に応える機能を果たしていたからである。それらの過程を進化・発展の変遷だとするのは、たんなる後知恵にすぎない。蓋し、ミロのヴィーナスと現代彫像とのあいだに聊かの進化の痕跡も認めえない所以である。

このことは、同時にまた、地図の時系列変化の多様性とともに共時的な多種性についても当てはまる。つまり、ヨーロッパにおいて開発された測量技術と、ヨーロッパの人びとが構想した空間認識こそが地図製作の本流で、それ以外の地域における地図は、地図として未熟で認めない、ないしは不正確として排除する、ことにはならないということだ。

われわれは、世界地図を描き、見るさいに慣れきっているから気づかないが、北を地図の上方に、東を右方に描かれることを当然としている。しかし、よく知られているように、江戸の町を描いた地図あるいは切絵図にはさまざまな方位から描き起こされたものが多く、一定の規則があったわけではない。なかでも、とりわけ衝撃的なのは「マッカーサーのユニヴァーサル修正世界地図」という一九七九年に出された世界図で、地球の南が上方に、しかもオーストラリアが真中上に描かれているのだ。もちろん、これは、世界地図が、北半球のヨーロッパ主導で製作されてきたことへの強烈な挑戦から描出されたものである。この地図に付された作成者の言葉である。

「ついに最初の動きが具体化したのだ。世界の力の闘争において長く無視されてはきたが栄光のわが民族を無名の深い淵からその正統なる位置へ引き上げる長い十字軍の侵攻の第一歩がようやく踏み出されたのだ。見よ、オーストラリアは北の諸隣人の上に聳え立ち、世界の舳先に厳然と居座る。北の諸国は従来の世界地図の位置で国の誇りの高さが決まるとうそぶき、「下の連中」を小馬鹿にし続けてきたが、もうそんなジョークは通用させない」（Jeremy Black, *Maps and Politics* (Reaction Books, 1997) 関口篤訳『地図の政治学』青土社、二〇〇一年、五一―二頁。同書にはその地図が掲載されている)。

この世界図では、日本はオーストラリアの真下に位置し、しかもその形は真逆さまになっている。これを異様と感じるなら、それは、ヨーロッパ型の地図モデルに慣れ切っている証拠だし、心理的な不安定を自覚するなら、南北を天地とする空間認識の絶対視にほかならない。

アナログ式機械時計がなぜ右回転（いわゆる時計回り）なのかを含め、とりわけ近代以後に生み出された文化財の多くがヨーロッパ発祥であるがゆえの特性を持っていることは、多くの人びとの等閑していている事実である。等閑視しているということは、人びとがごく当然、自然のこととして改めて反省することがないことを意味するのみならず、その事実に恰も必然的な存立根拠があるかのごとくに錯視させることも内包している。

地図も、ヨーロッパ型のモデルによって製作されたものが、なにも実在の空間世界と必然的な因果関係を持つものでないことは、あまりにも自明なことといわなくてはならない。

十五世紀末、アメリカ大陸（史実としてはカリブ海内の諸島）が「発見」される以前に描かれた世界図には、その陸影はどこにも見あたらない。いかな想像、妄想をめぐらせても夢想すら至らなかったのであろう。地図と実在世界との関係はかくも頼りなく、危ういのである。このことからさらに言うなら、実在の優先性すら即断できないということだ。

つまり、地図の根拠とするのは実在世界のはずなのだが、地図はそれを十全に把捉することができないということ。ときには地図の図像こそが実在を拘束的に把握することすらあるということだ。これは、実在が先ずあって、然る後にそれを地図が描き取るという、実在の因果的優先性を見直そうというものである。われわれが地図でしか実在を捉えることができない、という事態の方が、じつは常態になっているのである。

地図の象徴性

象徴（symbol）という概念は、たとえば隠喩や喚喩、直喩といった修辞学の技法、あるいはイコンのような宗教絵画の描法のように古くから人びとの識閾のなかにはあったが、それが明確に分節化され、自覚されてきたのは十九世紀後半以降である。

人間集団の行動分析、それへの人類学や社会学の接近、また、心理学や言語学からの関心などが高まるにしたがって、象徴という概念の有効性がはっきりと意識化されるようになったのである。木田元はそのあたりの情況を的確に要約している。

「思いつくままにあげてみても、フロイトやラカンの精神分析、ユングの深層心理学、フッサールの現象学、ゲシュタルト心理学、ウェルナーやカプランの有機体論的発達心理学、ヘッド、ゲルプ、ゴールドシュタインらの神経生理学理論、精神病理学、ボイティングらの動物心理学、ヤーギズ、ハンター、ローレンツらの動物行動学、ベルタランフィのシステム理論、文化人類学、ヘルツの物理学理論、記号論理学、ホワイトヘッドのシンボリズムの哲学、デューイやミード、モリスらのプラグマティズム、オグデン／リチャーズの意味論、ソシュール、ヤコブソン、バンヴェニストらの言語学、じつに多様な方向での記号学、記号理論、美学・美術史、バシュラールの詩的言語論、シェーラーやメルロ＝ポンティの現象学的人間学など、ほとんど知的全領域でこの「シンボル」の概念は決定的な役割を果たしている」（木田元「訳者あとがき」『シンボル形式の哲学』岩波書店、一九八九年、所収、四八三―四頁）。

いまではこれに文芸批評理論やさまざまなカルチュラル・スタディーズはもちろんのこと、政治学や建築学など広範な文化理論を加えてもよいだろう。現代の学問は、象徴概念を用いることによって、きわめて多彩で豊富な成果を得ることができたのである。ランガーは、いみじくも「シンボル」を「創造的なアイディア（generative idea）」だといっている。（S. K. Langer, *Philosophy in a New Key: A Study in the Symbolism of Reason, Rite and Art*（Harvard U.P., 1957） 矢野萬里、池上保太、貴志謙二、近藤洋逸訳『シンボルの哲学』岩波書店、一九六〇年、七頁）

しかも、重要なことは「記号というものを、既に存在している対象を模写したり、指示したり、その代理をしたりする標識と見る従来の記号観をくつがえして、それが精神の自由な創造物であり、その働きの表出であって、むしろ記号の創出によってはじめて対象がそれとしてあらわれ出ることができるのだという、記号についての新たな考え方」（木田元、前掲、四八五頁。記号と象徴は、厳密には区別されるべきとする議論があるが、本論はそれが主題ではないので、ここでは問わないことにする）に力点が置かれているところである。

「問題になっているのは、なにかそれ自体で存立している「事物」の世界を模写するような像ではなく、その原理と根源が精神そのものの自律的な創造作用のうちに求められるべき像＝世界なのである。この像＝世界を通してのみ、われわれはわれわれが「現実」と呼ぶものを見、この像＝世界においてのみ、それを所有することができるのだ」（Ernst Cassirer, *Die Philosophie der simbolischen Formen*（Bruno Cassirer Verlag, 1923） 生松敬三、木田元訳『シンボル形式の哲学』第一巻、言語、岩波書店、一九八九年、九〇頁)。

記号や象徴は、対象となる実在の一部ないし全部を抽象化し、他の形象に置き換えたものとするのが一般的な理解であろうが、「新たな考え方」では、示された形象は、対象から抽象されたものではなく、対象との対応関係(因果的連繋)はないと考える。さらに、その対象と因果関係のない形象によってはじめて対象そのものの新たな姿が顕わになるというのである。

前節で地図と言葉(言語)との相似性を指摘したが、ソシュールを援用するまでもなく、これらはともに記号(シーニュ)にほかならない。地図は、いうまでもなく、文字どおりすべて記号で埋め尽くされている。つまり、それ自体は無機質の記述体で、それに意味を与えるためには予備的、周辺的な無数の約束事が必要になる。

くわえて、記号の集合体である地図そのものからして、なんらそれ自体では意味をなさない記号なのである。地図は、それを読み解くためにはいくつものコードを了解しなければならない文化的記号であり、なんらの実体性を持っていないシニフィアン(能記)である。また、地図によって示される外的実在(地球表面)も、人間にとってはじつは実見することのできない、非実体的な想像上の産物にすぎない。

人間は、宇宙船によって地球を俯瞰するはるか以前から世界図を描くことができた所以がここにある。われわれは、いわば神の眼によって、この土地を見、世界を見て地図を描いてきたのである。

これは、言い方をかえるなら、そもそものはじめから構想のうえに地図を、恰もそれが外在的実在であるかのように製作してきたということだ。目の前の土地ならともかく、広大に拡がる土地の全体を、地図のように実見、実感することはなにより不可能で、土地の全体とは構想のなかにある似姿にすぎないのである。

地図にとって（いや、人間にとっても）、土地もまた、非実体的なシニフィエ（所記）ということができる。だから、シニフィアンとシニフィエとの恣意的関係のように、地図と実在との間には本源的な因果関係がないばかりか、その関係に意味を付与するのは人間と社会の文化的なコンテクストによる必然的な介在からなのである。

「人びとは、自らの周囲に広がる世界のなかから、自らにとって有意味な情報を取捨選択し、それを地図というもうひとつのテクストに織り成し、そのテクストを読むことを通じて自らを世界のなかに位置づけ、人びとと世界像を共有してゆくのである」（若林幹夫『地図の想像力』講談社、一九九五年、五七頁）。

後述するように、われわれは、地図によってしか日本の全体を見ることができないし、剰え、ごく少数ながら宇宙空間を体験したものですら、地球全体を一望のもとに実見したものはいない。地図こそが、われわれに日本や世界のイメージを与えているのである。われわれが衛星写真を見て驚き、喜ぶのは、そこに地図にそっくり似た地表の姿を見取るからだ。これは、地図がまさに現実に優先する証示といわなくてはならない。

地図の形象

「写真のようによく描かれた絵」という、褒めているのか腐しているのかわからない評言がある。よく細部まで細密画のように描かれたということで賞賛しているのか、作者の創造性が感じられないということで貶めているのか。だが、どちらも二重の過ちを犯している。

写真は、露光の速度や時間、被写体に当てられた光の状態、焦点の取り方、現像のときの無数の条件、また保存状態等々、さまざまな条件づけのなかで撮られるもの。そして、そのすべてが撮影者の創意工夫によるもので、人為を介さない映像作品など存在しない道理だし、写真作品が純粋客観の対象の映像とするのは明らかな錯誤である。写真が正統な映像表現芸術である理由がここにある。

絵画についてはいうまでもないだろうが、絵画作品がいかに対象を精緻に描いたとしても、それは作者の眼、絵具の調合具合、刷毛捌き、画材の選択等を通したもので、もとより対象そのままであるはずもない。却って、そうして描かれた画面こそが対象の見えない本性、特性を表わしえることも多々ある。ときには具象絵画より抽象作品の方が対象の本質を見事に捉えることもあろう。可視的な容姿こそが対象の全体性ではないのだ。

ここで写真と絵を引き合いに出したのは、おなじように、対象となる空間世界を分節化し、二次元の紙面に再現するにあたり、地図もまたそれらとまったく相違がないということを暗示したかったからである。

「地図は現実の選択的表示である」(J・ブラック、前掲書、一二七頁)。

つまり、何を選び何を捨てて表現するか、ここには明らかに人為的な意図がはたらくはずである。それ以前に、どのような縮尺を用いるのかにはじまり、製作のすべてのプロセスがさまざまな意図のもとに進められるのがふつうなのである。これは、商業目的の地図はもとより、公的機関で発行する地図を含めてすべての地図に当てはまる。

「地図は社会的および法的前提により影響を受け、消費者の嗜好にリンクしているということになる。英国の地図には私有地の通行権やフットパス（歩行用の公共通路）の直ちに目に付く記載があるが、アメリカの地図にはこれがいっさい見当たらない」（J・ブラック、前掲書、一一六頁）。

地図はその意味で社会性や歴史性を多分に含んだ文化的産物なのである。それぞれの国や地域で独自のものが見られるし、また時代によっても異なるものが存在しうるということだ。

地図、とりわけ各国の政府機関が出している地形図などは、一見すると無機質で客観的、普遍的（それゆえ科学的といわれる）な図面のように見えるが、これらでさえそれぞれの独自色が見られる。日本の地形図では〒が郵便局の記号だが、オーストリアではかつての配達夫が携えていたホルンの標識になっている。

もちろん、前提的な了解なしに誰が見ても判読可能なところも少なくない。なぜなら、近代化の諸過程のなかで、地図製作もその重要な施策のひとつとして、政府主導で整備され、ヨーロッパ型の製作モデルが挙って採り入れられたからである。普遍的と見えるのは、横並びの画一化の結果にすぎないということだ。

地図表象の独自性を支えているのは、やはり、対象となっている空間の文化的な特異性であろう。先ほどのイギリスにおけるフットパスの例も、十六世紀以来幾度となく繰り返されてきた大土地所有者による「囲い込み」によって、それまで自由な通行のできた歩行路が遮断されたり、通行禁止になったりして、その後、地主との交渉や、ときには裁判によって通行の権利が獲得されたpublic footpathが全国いたるところに存在する。そうした故事来歴は、その国や地域の歴史や生活文化に根ざしたもので、けっして無視することのできないものである。むしろ、そうした独特な需要に応えることこそが地図の役割にほかならないといえるのである。

いずれにしろ、地図で使われる記号（地図そのものが記号体系であるが）は、すべて作図上のデフォルメにほかならない。このデフォルメは、おもに誇張、省略、単純化によってなされる。道路や鉄道路線はじっさいの縮尺上より幅広く、目立つように描かれるし、見えないはずのトンネル内の筋も可視化されている。一方、じっさいには見えるはずの地上施設、建物などはできるだけ省略ないし単純化される。なかでも軍事関係の施設などはこの対象となる場合が多い（戦時下に製作された地図には、基地関連一帯がすべて白紙にされていたものがある（堀淳一、前掲書、一二四―五頁））。

また、各大都市の地下鉄などで製作された路線図などは、このデフォルメの典型だろう。当初は地表の様子と重ね合わせて、真正直に路線の敷かれたとおりに描いたものがあったが、ほどなくして路線だけを取り出して描いたものが現れた。もっとも有名で、その後の各都市のモデルともなったといわれているのが、一九三四年にヘンリー・ベック［一九〇二―七四年］の製作したロンドン地下鉄路線図で、水平、垂直の線と四五度傾斜線とからなっており、正確な方向や距離を完璧に無視し、路線名と駅名、連絡関係に留意し、使い易さ、見易さを徹底した作品になっている。

街路図では、これもその後の地図製作の模範となったといわれる『ロンドンA–Z』がある。これは、フィリス・ピアソール〔一九〇六–九六年〕が、一九三六年に初めて考案、出版した地図帳で、あくまでも道路を中心に描いたものである。それは、イギリス（ばかりでなく日本を除くほとんど全世界）では、道路とそれに面した建物の番号が住所を表わすからで、すべての街路に名称を書き入れるために道路幅が異様なほどに幅広く誇張、変形されているのが特徴である。主要な大建築や公園などは目立つように描いてあるが、それ以外の建物はすべて無視されている。

地図はわれわれの空間認識を具象化したものと述べたが、地図が実在の空間（正確には地表の外見的状態）をデフォルメした姿だとすれば、そこには二つの意味が隠されている。

ひとつは、地図製作上の合理化のためにデフォルメ（作為的偏向）が必然だということ。三次元空間を二次元平面に強制的に落とし込むことからはじまり、地表のすべてを網羅的に記号化することは不可能である。それは、宗教的心理を一言で喝破することもできれば、百万巻を著してなお言い尽くせないのに似て、無尽の表現法が可能だということだ。つまり、どの表現法を用いるかは、まったくもって製作側の意図によるということである。

それゆえ、分節化された空間認識の表象である地図は、人間の空間認識の有様がそのまま表現されているということになる。これが地図に隠されているもう一つの意味である。ここで、製作者といわず人間といったのは、発信者とおなじ受信者もこの了解には共に関わっているからである。

地図は、好事家の手慰みで拵えるものは別にして、つねに読み手の需要を念頭に製作され発信されるものである。よしんば受信者に受け入れられないものが発信されたとしても、地図もまたマス・メディアのひとつであるかぎり、淘汰される宿命を負っている。改良、修正があっても、それは漸進的に進められる。

したがって、表現された地図は、発信者、受信者双方の、すなわち、それらが所属する社会の空間認識そのものの様態を現しているといってよいのである。手許にロンドン中心部の地図がある。ロンドンは紀元前五五年頃に侵攻したローマ軍により都市として確立したが、その名も「シティ」と呼ばれるその一角はどこの地図でも決まって右端に描かれている。行政上のロンドン市は、シティを中心にほぼ同心円に拡がっているのだが、中心部は偏頗な姿で示されるのが一般なのである。いうまでもなく、利用者（受信者）もこれで一向に不都合は感じていない。つまり、ロンドン市の長い歴史のなかで、シティの西側へと多くの人びとが集住し、活動するようになった歴史的（時間的）、社会的（集団心理的）背景があったということだ。その理由は、多層、多岐にわたるのでここでは控えるが、一端を紹介すれば、いまでもシティの東側には多くの労働者階級、流入移民族の人びとが住んでいるのである。つまり、その人びとが住む地域は、一般に流布されている地図からは完全に排除されているということだ。きわめて偏頗な階級的布置があったことは明らかだ。

おなじことは東京の地図についてもいえる。行政区としての東京とは東西約九〇キロメートル、南北約三〇キロメートルの横に長い形をしている。この中心部を東京の地図として分節するとき、南北はすべて、東西方向で東寄り三分の二ほどのところで切り取るのがよく見られる。

そして、皇居、千代田区を中心に据えると、千葉県、埼玉県の一部、神奈川県の約半分が周辺地域として取り込まれることになる。よく目にする図像で、改めて言上げすることもないだろうが、思えば奇妙な図ではある。東京圏は、近代化のなかで、先ず東海道沿線から始まりほぼ右回りで周辺の開発、都市化が進められてきた。道路や鉄道網の整備もそれと併行しており、西部および南西部が他に比べて路線の配置が稠密になっている。現在は、東部の千葉県方面で開発が盛んにおこなわれている。おそらくこれから以降に製作される東京圏図はいまよりさらに東側を被覆するような構図が考えられなければならないだろう。

どこを地図の中心に置くか、つまり空間の分節化において力点をどこに置くかは、これはきわめて政治性の強い課題である。世界全図でよく用いられるのは、オランダのゲラルドゥス・メルカトル［一五一二―九四年］が一五六九年に創案した投影図だが、この図では、どこの国も自国を中心線上に置き、赤く塗って誇示するのが常套であった。

ヨーロッパや日本で製作された地図なら左右の両端は太平洋か大西洋の海上になるのだが、これ以外の、たとえばアメリカなどで作られた地図ではユーラシア大陸が左右に分断されて描かれることになる。まことに自国中心主義の図法なのである。

また、この図法は、南北両極に近いほど左右方向の面積が拡大する性質がある。したがって、グリーンランドやアラスカはじっさいより数倍も大きな印象を与えることになった。そのため、社会主義ソ連時代のロシアは共産主義の象徴である赤色を二重に含意させて自国の強大さを誇示したのであった。しかも、これが地図の上方一面を占めるために、世界を睥睨し君臨する印象を齎そうとしたのであった。

世界全図は他にも平射図法、正射図法、心射図法、正距方位図法、ボンヌ図法、ハンマー図法、サンソン図法、断裂サンソン図法、モルワイデ図法、グード図法などによる投影図があるが、どれも、距離、方位、面積などそれぞれに長所と短所があるすべてを同時に満足させることはできない。そのなかでメルカトル図法が多用されるのは、方形の中に世界の全体が一望に収められるからであろう。

地球は球体で、たとえ赤道上に静止した衛星から撮影した映像が目に触れる機会が多くなった今日でも、人びとはどういうわけか方形の世界の姿を好むようなのである。それは、地図としてはいかに歪んでいようとも、そもそものはじめから自分の目で見ることのない世界の姿、想像上の図像でしか想起することのできない形象として世界が現れていることを自覚しているかのようである。

地図の政治性

われわれは、情報メディアの体制と端末機の整備された環境で生活をしているかぎり、毎日、好むと好まざるとに関わりなく地図に接する。新聞、雑誌にはかならずどこかに何らかの地図が載っているし、テレビをつければ、ニュース、気象情報はもとよりさまざまなプログラムで地図が使われている。

そして、そのほとんどが、気象情報に代表されるごとく日本列島を含む東アジア地域を収めた図像である。日本という国の姿が四島と周辺島嶼から成り立っていること、国境線（仮想の）がいずれも海上にあること、列島が大陸の東側に寄り添うように並んでいること、これらが繰り返し可視化された図像となって示され、人びとの視覚と意識と記憶に刻印されてゆくのである。こうした事情はどこの国や地域でも同様で、マス・メディアによる各種の情報企画は、国家国民意識の形成に、巧まずして計り知れない貢献をしているといえよう。

これまで、われわれは、地球全体を自分の眼で一望することができない。それは地図を通してはじめて可能になると再三述べてきた。地球全体のみならず、自分の住む国も地域さえも全望することなど、一部を除いてほとんど不可能なことだ。

その代わり、現代社会においては、その一望する役割を各種のメディアが担っているのである。

いまや、メディアがわれわれの五感、感覚器官となっている。地図そのものもメディアのひとつであり、われわれは、地図で示された世界の姿、自国の像をそれ自体と了解しているのである。ベネディクト・アンダーソン〔一九三六―二〇一五年〕のいうように「国家は想像の共同体」(Benedict Anderson, *Imagined Communities: Reflection on the Origin and Spread of Nationalism* (Verso, 1983) 白石隆、白石さや訳『想像の共同体』リブロポート、一九八七年)には違いないが、それに一定の具体性と強迫観念を与えているのは、地図によって示された国土の図像である。

他方で、「国のかたち」というような曖昧で抽象的、修辞的な名辞に、空想的な神秘性へと落ち込む歯止めを齎しているのも、唯一、地図をおいてほかにないといってもよい。それゆえ、裏返していえば、地図に政治的な意図を付与することも可能な道理で、地図を通して政治的情宣を果たすこともできよう。

近代国民国家の三大要素といえば、領土と住民と言語であり、その中央集権的な一元化と統一が要請ないし強制され、かくして国土と国民と国語として制度化され、自覚されていくのである。そして、国民意識統合の装置として国旗や国家、国民文学などの国家的図像(National Iconography)が設えられる。これらの装置に地図を加えるべきなのはいうまでもない。

さらに、これらの国家的図像のすべてが義務教育課程の主要科目になっていることに注意すべきだろう。義務教育とは教育コストの公的負担を指すだけでなく、国民に教育を受けさせる、その強制を義務と換言することで国民意識を自発的に培養することを内容としている。「この意味で、地理教育というのは高度にイデオロギー的な営みである」（若林幹夫、前掲書、二四七頁）といわざるをえない。

われわれは、日本という国が四囲を海に囲繞された島国で、中国やロシアなどの大陸国家に比べ、はるかに矮小で少資源の国土しか有しないこと。これらを地理教育で顕示的に、またメディアを介して暗示的に、幼時から成人まで、日々繰り返し刷り込まれる。これが戦争前の国粋主義教育であれば、より露骨な言説が加えられることによって、周辺への脅威として過剰に煽られたことはいうまでもない。

こうした事情は、じつは日本だけのことではなく、どこの国でも同様に見られることだ。世界の各国において、国民意識を高揚させるうえで、四方からの脅威を刺激することは、古来為政者がとるきわめて簡易な仕掛けであった。そのさい、地図が作為的に製作されるならなおさらのこと、きわめて効果的な役割を演じてきたことは当然であった（戦時期に各国で流布した新聞、雑誌、ポスター、ビラ、パンフレットなどの印刷物にはかならず国土の地図ないしそれに類する図像が配されていたことはよく知られている）。

戦時下でなくとも国家の形象を地図で示すことは、すなわち何らかの政治的意図がそこに秘められていることは、紛れもない事実である（もちろん、その意図の良し悪しを議論することはここでの目的ではない)。

「すべての地図は作成サイドから見れば政治的であるといえる。すなわちあらゆる地図にはイデオロギーや、権威、権力、統治・支配、軍事などの「政治的」意図が、公的あるいは私的に、意識的ないしは無意識的に描出されているからである」(長谷川孝治『地図の思想』朝倉書店、二〇〇五年、一頁)と地理学者も認めている。

ところで、国の形象を決めるのは、日本のような海岸線だけで縁取られたかたちをもつオーストラリアやニュージーランド、スリランカ、キューバなど世界的にはきわめて例外で、ほとんどの場合は、陸上の境界線(国境線)によって形作られている。

河川や分水嶺といった自然の地形沿いに国境線の引かれることがごく一般的だが、たとえばアフリカやアラビア地域、また北アメリカなどの地図を見ると、それとは明らかに異なる要因によって境界線の引かれた形跡が窺える。もっとも鮮明なのは、アメリカ合衆国とカナダとの境界だ。東西約二一〇〇キロメートルにわたって直線の国境線が引かれている。また、北のアラスカ州とカナダとの境も南北約一一〇〇キロメートルの直線が見られる。これらが幾何学的な直線になるのはいずれも自然の地形条件とは関係なく、もっぱら「地図上」で引かれた線だからにほかならない。その不自然なほどの人為的な所産の背景には、政治的対立と妥協が働いていることはいうまでもない。

その政治的表象がさらに露骨に顕われているのがアフリカと中東地域である。これらの地域は、十九世紀におけるヨーロッパ列強による帝国主義的植民地争奪の餌食となったところである。つまり、そこでは自然の地形はもとより、そこで暮らす人びとの配置実態すら完璧に無視されて、国境線の確定がなされたということだ。

そのため、クルド族のように、トルコ、アルメニア、イラン、イラクに跨る地域に分断された人びとが生まれることになった。国家が、統一された民族、一元的な言語（文化一般）をもち、国境線に囲まれた限定された地域＝国土から構成されるというのは、あくまでも理念的な幻想にすぎない。にもかかわらず、それを推し進めようとする限り、そこに政治的なイデオロギー強制の機能が働くことになる。その具象的な装置として地図があることは明らかだ。

そして、大地の分割が、とりわけ境界線確定の外交交渉において、現地に足を踏み入れることなく、地図上で、しかも緯線、経線の数字調整のみによって線引きされる事実に注目しなくてはならない。

われわれは、その、さらに壮大な実例を一四九四年のトルデシリャス条約による「教皇子午線」（Demarcation Line「植民地分界線」とも訳される）に見ることができる。大航海時代の過程で、東回りに地球上を進んだポルトガルと西回りのスペインとのあいだで抗争がもちあがり、その妥協として教皇アレクサンデル六世［一四三一―一五〇三年］の裁定によって、大西洋中、西経四六度三〇分で縦断する線が引かれたのであった。さらに一五二九年のサラゴサ条約により、その対蹠線として東経一四四度三〇分の子午線上に、アジア地域における両勢力の分界線が引かれる。それはまさに、この当時、世界のヘゲモニーを握っていた二国による世界支配の分割線であった。これらもまた地図上での策定であったことはいうまでもない。

こうした事共はすべて、自然の実態とはまったく別に、人びとの、いや為政者の脳中幻想のなかで先行され、地図がむしろそれを媒介し、確証するかたちで形象化するというプロセスを経ていることは明らかである。

おわりに

地図に関する学研団体としてはＩＣＡ（International Cartographic Association＝国際地図学会）が知られている。とはいえ、そのCartography（Cartographicは形容詞）には、もともと「地図製作」という意味しかなく「地図研究」「地図学」といった意味はなかった（堀淳一「『地図論』論」、津野海太郎、永野恒雄、野崎六助、田中勝也、塩見鮮一郎、堀淳一『地図の記号論』批評社、一九九〇年、所収、一六四頁）。これは、地図がもっぱら道具として、その改良工夫のために知恵を出し合い、情報を交換し合うこと、つまり制作上の関心のみが地図関係者の課題だったことを意味している。地図自体を考証の対象として捉えることはなかったともいえるだろう。

ところが、地図に秘められたさまざまな隠喩を読み解こうとする動きが活発になってきた。その先鞭をつけたのは、イギリスの地理学者ブライアン・ハーレー［一九三二―九一年］である。

「ハーレーは地図を本質的に権力に奉仕する文書ととらえ、地図はその見地から見られるべきと提唱した。また、地図製作を言語の一形式と扱い、地図をロラン・バルトやジャック・デリダが文学、建築、記号などの分野で提唱したポスト構造／ポストモダン的感覚で脱構築されるべきテクストと扱った」（J・ブラック、前掲書、二二一頁）

地図を考察、批評の対象とする「地図学」という学問研究の枠組みがようやく自覚されてきたということである（これには、「地政学 Geopolitics」への関心の高まりも与っていよう）。むしろ、地図学が議論されてこなかったという事実にこそ、これまで地図の置かれた位置が如実に現れている。つまり、地図は機械のごとく客観的事実そのもの、価値中立的で寸毫の主観性も忍び込まないと素朴に思念されてきたということだ。

たしかに、描かれた事実に誤りがあってはならないだろう。地名に誤記があったり、不正確な等高線が描かれたりしていれば事故や人名に関わることにもなる。いいかげんな海図は深刻な海難事故に直結する。

もっとも、使われる目的によっては、正確さの種類や程度に違いがあっても許容される。すべての地図がひとつの基準で評価されなければならない合理性はどこにもないからだ。地図をどう描くかの意匠については、すべて製作者の主観的判断によるといわなくてはならない。ときには政治的意図や経済的目的によって、意識的に意匠を凝らすこともあるだろう。また、それがさらに意図的に秘匿されることもあるだろう。それらを分析し洗い出し、隠されたり、誇張されたり、とにかく整形された意思を明らかにすることも地図学の存在意義になるはずである。

カー・ナヴィゲイション・システムの急速な普及、インターネットサイトにおけるマップ（航空／衛星写真など）人気の高まりなど、地図をめぐる一般の関心は、近年、大きく様変わりしている。いまや、街歩きや待ち合わせにスマホのマップ画像は必須であろう（方向音痴の向きは、それでも道に迷うという）。

こうしたなかで、地図それ自体について、改めて考察を加えることがしだいに要請されるようになるはずだ。文化研究は、あらゆる社会事象、文化表象を扱うことが主たる課題で、この小論が地図への関心を喚起する問題提起になれば幸いである。

十八世紀イギリスの時代表象

はじめに

日本におけるイギリス理解は、たとえば、世界で最初に近代市民革命をおこなった国、世界に先がけて最初に産業革命をおこなった国等々、近代における世界歴史の先頭をきる国として、ある種の範型として捉えられてきた。ところが、それらは実態とはいささか異なる、ときには創られた伝統表象に近い部分がある。この章では、現在の実情と対照しながら、その虚像の淵源となった十八世紀に的を絞って、歴史の見直しを試みる。

日本の、いわゆる戦後教育は、太平洋戦争に対する深刻な反省と戦後占領連合軍の、とりわけその中核をなすアメリカで、当時主流であった民主リベラル派勢力の指導とによって、きわめて自由主義的傾向の強い理念に色づけられていた。

それは、初等、中等、高等および大学等の教育体制の各段階のみならず、人文、社会、自然の各諸科学から芸術、技術、体育等のすべての教科目、さらに学校運営や学級経営、生活指導の全般、細部に至るまで貫徹されていた。「戦後民主主義教育」と集約的に表象される所以である。

これは、理想主義とも理念主導ともいえる教育精神であり、それがもっとも典型的に示されているのが歴史教育であり、なかでも「世界史」教科に、その象徴を見ることができる。

すでによく知られているように、世界史という表象は、けっして地球上の普遍的全体を指すのではなく、極言すれば、西欧史を主軸に置き、ほとんど中国史を内容とした東洋史や、注目度を増しているアラビア世界を中心とした中東史を副筋に置いた、限定条件づきの世界史であった。

これに対し、近年、さまざまな批判が沸き起こったにもかかわらず、それでもなお抜本的な見直しがなされないまま今日に至っている。近代という時代の、目指すべきモデルとしての表象、つまり歴史進行の理念こそが西欧にあると考えられてきたからにほかならない（日本におけるさまざまな学問モデルが作られた明治という時代性がその原点である）。

それはともかく、近代の核心が自由の実現、平等の獲得にあると確信されたことから、そして、それらがある時代だけに特徴的な、相対的概念にすぎないのに、恰も人類普遍の永遠な表象と措定されたことから、さまざまな波及効果を生み出すことになった。

西欧地域のなかでも、イギリス、フランス、ドイツをことのほか注目するのもその効果の一端であるし、就中、イギリスをとりわけて賞揚するのも象徴的なことといえる。近代社会の形成過程にあって、市民的自由を実現し、旧弊の封建的階層秩序を解体、平等を奪取した「近代市民革命」こそがその端緒だとする歴史表象にそれは表れている。

イギリスにおいては、一六四二年の「清教徒革命」と一六八九年の「名誉革命」が近代市民革命と目されている。

ピューリタン革命と名誉革命によってイギリスの絶対主義は消滅し、議会の権利や市民的自由の原則が承認された。また、これらの革命によって生産を拘束する封建的な諸制度が廃止され、ピューリタン革命中の航海法によって海外貿易も有利となり、資本主義は順調な発展の道が開けた。これらのため、この二つの革命はのちのアメリカ独立やフランス革命などと並んで市民革命（ブルジョア革命）とよばれている。（柴田三千雄、弓削達、辛島昇、斯波義信、木谷勤『新世界史』山川出版社、一九九九年、一九四頁）

これは高等学校でもっとも多く使われている世界史教科書の記述である。文字どおり教科書的な理解の原点となっているものといってよい。高等学校への進学率から考えて、おそらくほとんどの日本人の、この時代のイギリスに対する認識はここから発して、この準拠枠のなかに納まっていると考えてよいだろう。

こうした基礎的な理解は、如上のように戦後一貫して変わらないもので、いわゆる戦後民主主義教育の理念としっかり連繫しているとみて間違いはない。というのも、戦後日本そのものが、封建的遺制を敗戦によって潰滅され、少なくとも制度的には近代市民社会の形式を実現したからである。その現実の実感が併行しているからこそ過去のイギリスの事件が、このうえなく輝かしいものと定礎されたのである。

しかし、歴史認識というのはけっして万古不易のものではなく、政治や経済の実態的変化や歴史研究の進展ないし闘ぎ合い（学問研究は学閥や嗜好性、政治力等によってつねに党派性をともなう）により緩やかではあるがたえず変化している。この教科書でも、清教徒革命への註記として、欄外につぎのような一条が付されている。

資本主義の発展のための有利な制度改革がおこなわれた点では市民革命だが、革命（内戦）の主要勢力がジェントリで、商工業ブルジョワでないため、市民革命とはみなさない考えもある。（同書、一九四頁。ここで説明もなく「（内戦）」と記されているところに著者たちの視点のゆらぎが出ている。後述のように、イギリスでは革命などとは位置づけていないからだ）。

従来、主流であった歴史認識からすれば、近代市民革命の主力は商工業者を中心とした新興の台頭勢力であったブルジョワ階級であり、その人びとが経済活動の自由と平等を勝ち取ったために市民社会が実現し、資本主義といういままでにない経済構造が確立したということになる。さらにいえば、その資本主義が発展、成熟するなかで新たな被抑圧民である労働者階級が出現、増大し、それによって次の変動である社会主義革命が起こって、より高次の社会体制が生まれると、マルクス主義などは考えたのである。

そうした社会進化論的な歴史認識からすると、イギリスの清教徒革命と名誉革命は紛うかたなき市民革命の先駆であり、アメリカの独立（一七七六年）やフランス革命（一七八九―九五年）もそれに続く自由実現の社会運動ということになった。

だが、アメリカ独立はもちろんのこと、フランス革命もブルボン王朝の滅亡によって共和制が確立し、市民的自由と平等が獲得されたことは事実だが、先陣とされたイギリスの両革命については、そうした歴史の定式にはどうも適合しないことが明らかになってきた。

あるいは、こうもいえるだろう。戦後日本の歴史学界や経済史学界、社会学界においてマルクス主義に並んで大きな影響力を持ったマックス・ウェーバー〔一八六四―一九二〇年〕の、とりわけ『プロテスタンティズムの倫理と資本主義の精神』（一九〇四―〇五年）に端を発すると思われる、清教徒主義（ピューリタニズム）と初期資本主義形成の密接な結びつきに関する所説が、市民革命と資本主義とを連結させる効果をもたらしたとみられるところだ。

ウェーバーの議論は、経済活動における「エートス」を強調する点で、マルクス主義に代わる、ないしそれを補完して発展させる意義をもったことはいうまでもない。だが、プロテスタントを新興ブルジョワや労働者と錯視させるというマルクス主義流の歴史法則を逸脱するものではなかった。つまり、イギリスの資本主義形成における商工業ブルジョワ階級の重視という歴史表象を形づくっていくうえで、ウェーバーの理論も少なからぬ役割を果たしたといえるのである。

しかし、先にあげた教科書のレベルでさえ、註記のかたちで言及せざるをえないように、少なくともイギリスの近代市民革命と定式化される両事件は、どうしても相対化せざるをえないのである（ピューリタンを支持したり、自らピューリタンであった貴族・ジェントルマンの一群の人びとがいた。岩井淳「アメリカ移民と宗教結社」、川北稔編『結社のイギリス史』山川出版社、二〇〇五年、六三頁以下）。

だいいちに、イギリスは、この二つの革命を経験したのちですら、君主制を維持し、貴族院（House of Lords）という政治制度を温存して今日にまで至っており、近代市民社会的平等を実現した国家とは、とてもではないが言い難いのである。清教徒革命のあいだに、ときの君主チャールズⅠ世［一六〇〇―四九年、在位一六二五―四九年］を処刑し、共和制を実現したが、わずか一一年で破綻し、チャールズⅡ世［一六三〇―八五年、在位一六六〇―八五年］が王位に就いて、その後、今日まで君主制が連綿と続いている。

また、君主を頂点に貴族制度が厳存しており、法的制度においても社会的慣習においても階級的序列は、むしろ現代のイギリス社会を特徴づけるものとさえなっている。ジョン・メージャー［一九四三―、首相在位一九九〇―九七年］以来、首相の就任演説には、「階級なき社会（classless society）」の実現という一言がかならず入る国柄なのである。

こうした社会が二十一世紀になってなおも続くというわけで、それを自由と平等を基本理念とする近代市民社会の定式に無条件で当てはめることなどできないのは当然といわなくてはならないだろう。

そもそも、日本で清教徒革命といわれている出来事は、チャールズⅠ世を中心とした王党派と議会派との対立から始まった内乱で、両派ともに貴族・ジェントリなどの特権的階級の人びとで構成され、いわゆる都市民、庶民、下層農民（傭兵として参戦したとしても）などではなかった。とうのイギリスでは、Puritan Revolutionなどとはいわずに Civil War と表現するのが通例なのである。イギリスの歴史書、歴史関係の辞典類のどこを閲してみても、'Puritan Revolution' の記述は見当たらない。日本独特の表現としかいいようがない。

Civil Warは「内乱」ないし「市民戦争」と日本語で訳すのがふつうで、アメリカの南北戦争(一八六一―六五年)や日本の明治維新に続く戊辰戦争(一八六八―六九年)がこれにあたることになっている。ようするに、支配階級内部での権力闘争が全国的に拡大したものと考えるのが妥当なのである。そして、その結果が、共和制を排して君主制に復古するという、いわば歴史の定式にはまったく逆行するものだったのである。

名誉革命は、チャールズⅡ世の没後、王位についた弟ジェイムズⅡ世［一六三三―一七〇一年、在位一六八五―八八年］がカソリックを崇拝していた上、議会との関係も最悪だったため、オランダのオレンジ公ウイリアム［一六五〇―一七〇二年、在位一六八九―一七〇二年］に嫁していた王女メアリーⅡ世［一六六二―九四年、在位一六八九―九四年］を夫妻共々、議会主導で招請。彼らが軍を率いて南海岸のブリックサムに上陸、ロンドンへ進軍するなかジェイムズⅡ世王はフランスに亡命するという無血革命であった。

イギリスではこれを Glorious Revolution といい、むしろこちらの方をこそイギリスの近代を刻印したものとして、文字どおり「栄光ある」変革と捉えているのだ。その大きな意義は、カソリック勢力の抑圧はもとより、国内にくすぶっていたプロテスタント急進派を抑え込んで、国家宗教であるアングリカン・チャーチ（イングランド教会）を決定的なものとしたことにある。

また、議会がすべての采柄を握って展開したということもある。もともと、議会制度の母国といわれるように、すでに十三世紀の半ばには議会が機能し始めていたイギリスでは、王権の絶対主義時代とされたなかでもKing in Parliamentと謳うのが王権と議会との関係を象徴する姿であった。しかし、隣国フランスのブルボン王朝に範を仰ぐようになった王権が、議会を蔑ろにしがちになり、結局は、この政変により、議会主権がはっきりと確立するようになる。もちろん、議会の主体である議員は、たとえ庶民院（House of Commons）とはいっても、ジェントリ等、一般庶民とはまったく無縁の特権的上層階級の人びとであったことはいうまでもない。

ここでは、かくして確立された名誉革命体制を政治的基盤とする十八世紀イギリスの社会を分析し、この世紀がどういう時代であったか明らかにすることを目指している。その意図の背景には、今日のイギリス社会あるいは文化が、この十八世紀あたりに主たる淵源をもつのではないかという仮説がある。

ひとつには、今日のさまざまな研究分野において、蛙鳴蝉噪の著しいイギリス帝国への確実な踏み込みがこの時期になされていたということ。ふたつには、工業化への進展が、やはりこの十八世紀を中心に隆盛への歩みを始めたこと。そして、三つに、これら国内各分野において主導権を握って推し進めた人びと、それによって明確に作り上げられてゆく階級的秩序、これらがほぼこの時代に端緒をもっていること等々といった仮説である。

名誉革命体制

十八世紀のイギリスは、研究者のあいだで「長い十八世紀（the long eighteenth century）」と呼ばれることがある（Frank O'Gorman, *The Long Eighteenth Century : British Political & Social History 1688-1832* (London: Arnold, 1997) や E.N.Williams, *The Eighteenth-Century Constitution 1688-1815* (Cambridge: Cambridge U.P., 1960)、G.Elton, *The English* (Oxford: Blackwell, 1992) chap.5、日本語文献としては近藤和彦編『長い十八世紀のイギリス――その政治社会』山川出版社、二〇〇二年）。

イギリスの近世、近代は王朝の代々と世紀の区分がほぼ重なる。王家に連なる貴族家同士の争いであったいわゆる薔薇戦争が一四八五年に終結。テューダー家のヘンリーⅦ世［一四五七―一五〇九年、在位一四八五―一五〇九年］が王位に就き、ほぼ一世紀後の一六〇三年にエリザベスⅠ世［一五三三―一六〇三年、在位一五五八―一六〇三年］が亡くなって十六世紀とテューダー王朝が一致する。続くステュアート王朝はアン女王［一六六五―一七一四年、在位一七〇二―一七一四年］崩御までの十七世紀に符節するという具合だ。これに代わったハノーバー王家は、その後、家名を二転させながらも直系として現在まで続くので世紀との類縁はない（ただし、イギリス十九世紀を象徴するヴィクトリア女王［一八一九—一九〇一年、在位一八三七—一九〇一年］がまさに二十世紀劈頭の年に亡くなっているのも奇遇というべきか）。

とはいえ、ハノーバー王家の開闢が一七一四年という世紀の初頭といって差し支えない時期にあたりながら、十八世紀が王朝と結びつかないのにはそれなりの理由がある。G・エルトンは「長い十八世紀」を手短にこう書いている。

君主の支配というものに対して、内戦（Civil War）とそれに続く空位体制（Interregnum）が宣告した評決が、一六八八年の名誉・無血革命（Glorious and Bloodless Revolution）において再度、読み上げられなければならなかった。しかし、その後は、行く手がきれいさっぱりとなった。一七一四年まで手荒な政党間の争いを経て、ウォルポール時代のウィッグ的平穏へと進み、政治の表舞台から王権の影響がしだいに排除されていったのだ。そして、一八三三年の改革法（Reform Act）で頂点を迎える。抜本的な改革意志の増大に向かって突き進んで行くのである。（G.Elton, ibid., p.160.）

ようするに、君主権力が名誉革命によって決定的な最後通牒を言い渡され、さらに進んで議会制民主主義の要諦である議会の選挙制度が民主化の方向へ大きく舵を切り始める、この間を指してひとつの区切りとすることで十八世紀という時代を画そうというわけである（一六八八—一八三三年）。いわば絶対王政から近代民主主義への移行期、過渡期としての十八世紀という捉え方である。

イギリスの王権は、薔薇戦争に結果する中世を通じた長い権力闘争のなか、国内諸侯の威勢が疲弊し、代わって権力を握ったヘンリーⅦ世のテューダー家が、それゆえに強力な王権を振るうことができた。

しかし、それでもなお、議会制度という、それまででも長い伝統をもっていた政治制度を根底としており、議会の存在を軽視しては、もとより王政の維持は困難であった。その点、ブルボン王家に象徴される排他的、独善的な王権像とは、そもそも趣を異にするものといえる。

だからこそ、スコットランド王からイングランド王を兼ねるようになったジェイムズⅠ世［一五六六—一六二五年、在位一六〇三—二五年］や王権の伸張を身の丈も弁えず息巻こうとしたチャールズⅠ世などは、政権基盤の補塡もあって「王権神授説（the divine right of Kings）」のような政治イデオロギーを援用せざるをえなかったのである。この観念は、王権をキリスト教の神意と同質のものと捉え、あらゆる法支配を超越したところに王権を位置づけるものだった。

これは、中世来、フランスに根強く流れていた政治思想であったが、イギリスにおいては、たとえば十六世紀宗教改革の焦眉であった「国王至上法（The Act of Supremacy）」（一五三四年）などもそのひとつと見ることもできようが、政治イデオロギーとして強勢をもつようになったのはステュアート王朝になってからといえる。そして、結局は議会との関係を最悪にし、名誉革命によって完璧に葬り去られたのである。（R. Lockyer, *The Oxford Companion to British History*（ed. J.Cannon, Oxford: Oxfrod U.P., 1977）p.296.）

イギリスには、一巻の諸条文から構成される、いわゆる成文憲法はない。その役割を果たしているのは、国民のさまざまな権利をまとめた一連の歴史的宣言文である。すなわち「大憲章（Magna Carta）」（一二一五年）を筆頭に、「権利請願（Petition of Right）」（一六二八年）、「人身保護法（habeas corpus）」（一六七九年）、「権利章典（Bill of Rights）」（一六八九年）、「王位継承法（Act of Settlement）」（一七〇一年）、「奴隷制廃止法（The Slavery Abolition Act）」（一八三三年）、「性別による欠格（の除去）に関する法律（Sex Disqualification（Removal）Act）」（一九一九年）等である。このなかの「権利章典」こそが、長い十八世紀、名誉革命体制といわれる時代の嚆矢とされているのである。

「権利章典」は全体一三章からなり、第一章でジェイムズⅡ世の罪過が数々述べ立てられ、第二章の冒頭第一条で「議会の同意なくして国王の権限によって法律の効力を停止したり、その執行を停止しえる権限があると称されたりするが、それは違法である」として、王権の独立絶対性を否定している。また、第四条において「大権の名のもとに、議会の承認なしに、しかるべき期間より長い期間、また、しかるべき形態と異なった形態で、王の使用に供するために金銭を徴収することは、違法である」と宣告し、国王の独断専行による徴税権を否定した。

そのほか、議会による衆議を経ずに裁下される法律（勅許）がことごとく違法であること、そして、今日でいう基本的人権に繋がる国民の権利が条々に書かれている。つまり、国家の基本的な姿勢を示す、いわば憲法ともいうべき内容を表わしているのである。

フランスのルイXIV世［一六三八―一七一五年、在位一六四三―一七一五年］が宣ったとされる「朕は国家なり」という妖言は、絶対主義君主制を如実に言い表すものであった。つまり、王の振る舞い、一挙手一投足がすなわち王勅となって詔下され、それ以外にいっさいの権威をも認めないというのが君主制の自然な、そして素直なかたちであった。

君主制の反対概念は共和制ということになるが、その核心には、国家元首が君主のように世襲、王家の血脈によって継承され、最高位に就くのではなく、公的な選挙によって選出されることはもとより、国家のすべての法律、わけても最高法規である憲法がさまざまな審議、合議を経て成案を得るところにある。

しかるに、憲法を有しながら君主制を維持するという立憲君主制の政体は、いわば円い三角形、冷えた太陽のような全き形容矛盾なのである。今日でもイギリスと日本がその例であることはいうまでもない。そして、こうした政治形態をとるようになった歴史的端緒が名誉革命であったわけだ。イギリス人がこの出来事に Glorious という形容詞を与えている理由も故無しとしない。

いささか付言すれば、高木八尺、末延三次、宮沢俊義編『人権宣言集』岩波文庫、一九五七年に付された田中英夫の解説には「名誉革命は、イギリスの市民革命の最後を飾る事件である。しかし、その意義はあまりに誇大に考えられてはならない。イギリスの市民革命は、ピューリタン革命によって成就したと見るべきであり、名誉革命は、ピューリタン革命によって確立された体制――一六六〇年の王政復古は、それに本質的な変革を加えたものではなかった――をくつがえそうとした動きを鎮圧したものにすぎぬ、とみるべきである。この革命が無血に終わったこと、およびその主導権を握っていたのが、改心的なホイッグよりはむしろ保守的なトーリであったのは、そのことを示している」（七八―九頁）とある。戦後日本の革命史観華やかな時代を背景にしていることがよくわかる。しかも、その革命は暴力であれば尚更に有意であるということが鮮明に伝わってくる。こうした歴史認識はホイッグ史観として一定の勢力をもち、且つ批判も受けている。H.Butterfield, *The Whig Interpretation of History* (London: G.Bell and Sons, 1931) 日本訳『ウィッグ史観批判』越智武臣他訳、未来社、一九六七年。

イギリスの君主制を表象する短句に「君臨すれども統治せず（The Sovereign reigns, but does not rule.）」というのがある。まさに、国家元首として国家の頂点に立ちながら政治的権力の一切を実質的にもたないという意味である。形式的には、陸海空三軍の長、軍事行動の最終裁可は君主にあるし、イングランド教会の頂点には君主がいるし、議会を通過したすべての法案は君主の同意署名がなければ発効しない。しかし、少なくとも名誉革命体制確立以降、君主が独断でその形式を踏み越えて、実質権力を行使したことはない（一部、遅滞を生じたことはあったようだが）。

こうした事情は日本もおなじで、衆参両院の議決により成立した法律は、それだけでは不十分で、天皇の署名捺印（御名御璽）により初めて公布、施行への運びとなる。現憲法が大日本帝国憲法の修正版といわれる所以である。

王室の存続について、現代のイギリスで世論調査をすると、否定の数値がかならず一定程度の割合を占める。これは、王室一家の醜聞に目を顰める国民意識の表われのみならず、そもそも王室制度を選んだのは国民、議会なのだという自負の表れといえるだろう。

そして、その淵源が、君主を斃した内戦より、現君主に代えて、隣国オランダから夫妻もろともに現君主を呼び寄せたという名誉革命にあると考えて間違いはない。事実、ウィリアムⅢ世とメアリⅡ世夫妻が「権利章典」に示された条々を条件に登位されたことが「権利章典」そのものに記述されている（『権利章典』第四章）。

イギリスの近代は、議会主義の定着はともかく、君主制を形式的にせよ温存するという、甚だ微温的な態勢で出発することになった。ここにひとつの大きな疑問が残る。ウィッグ的革命史観を靡然と肯んずるわけではないが、清教徒反乱で一度は無きものとした君主の存在を、なぜ維持することになったのか。四民平等を本旨とする近代市民社会の誕生という点では、後代のフランスやドイツこその範型ということになるわけで、なぜイギリスは君主制との妥協を図ったのか。これについて解答を見出すまえに、長い十八世紀の内包を覗いてみよう。

時代相の二面性

長い十八世紀を、その基底で支えていたのは議会主義という政治体制だった。しかし、議会は国法の最高審議、議決機関であって、国法に基づく行政、執行機関ではない。これまで、その役割を担ってきたのはひとえに君主および直属の枢密院（Privy Council）であった。もはや君主の行政権が実質的に有名無実となった名誉革命体制下においては、それに代わる存在が必要になった。それが首相を首班とする内閣制度である。

こうした協議、執務機関はテューダー時代からすでにあったが、その重要度を増したのは、この時代以降のことである。内閣が、とりわけ議会に対して責任を負う「責任内閣制度」の性格をもつ原因がここにある。また、内閣構成員の過半数が議員でなければならないという「議院内閣制度」の由来もここにある。

内閣制度が重要な存在になったもうひとつの理由は、一七一四年アン女王崩御にともないドイツのハノーバーから登位したジョージI世［一六六〇―一七二七年、在位一七一四―二七年］が英語をまったく解せず、また滞英の義務もほとんど果たさなかったためとされている。

そして、この時期、内閣制度の地位を高め、かつその中心である首相の位格を揺るぎないものにしたのがロバート・ウォルポール［一六七六―一七四五年、在職一七二一―四二年］であった。ウォルポールは内政、外交両面で宥和を基本とした政策をおこない、二一年間の長期安定政権を実現、「ウォルポールの平和」とか「ウォルポール体制（Robinocracy）」と通称されるほどの一時代を築いた（P. Langford, *Eighteenth-Century Britain* (Oxford: Oxford U.P., 2000) p.13）。

だが、その一方で、イギリスはこの長い十八世紀を通じて、一貫して対外戦争に明け暮れたことも事実である。以下にそれを列記してみよう。

先ずは九年戦争（一六八八―九七年、ファルツ継承戦争あるいはアウクスブルク同盟戦争とも）。これと併行して新大陸では、対フランスでウィリアム王戦争を展開し、どちらもライスワイク条約で終結している。つぎがスペイン継承戦争（一七〇一―一四年）。このときも北米植民地では対フランス、対スペインでアン女王戦争をおこない、ユトレヒト条約により、アメリカ東海岸の支配地拡大と奴隷貿易特権の獲得、また、今日まで続くジブラルタル占領も認めさせている。いわゆる「ジェンキンズの耳事件」に始まるスペインとの戦争が一七三九年に開戦。翌年にはオーストリア継承戦争に発展し、北米ではジョージ王戦争として対フランスとの戦いとなり、一七四八年のアーヘンの和約で集結する。ネイティブ・アメリカンとフランスの連合軍とのフレンチ・インディアン戦争（一七五四

―六三年）はヨーロッパ大陸での七年戦争（一七五六―六三年）と同時進行で展開。いずれも北米における植民地覇権をかけた戦争で、終結となったパリ条約により、イギリスは北米植民地かのフランス完全撤退を勝ち取ることに成功する。さらに、今度はそのアメリカ植民地と、独立をかけた戦い（一七七五―八三年）に関わり、ここでも植民地軍の背後でこれを支援するフランスとの戦争になった。フランス革命（一七八九―九九年）後の各国の干渉とそれに続く対ナポレオンのための都合五次にわたる対仏大同盟（一七九三―一八一五年）にイギリスは適時参加し、各地の戦線に関わってゆく。なかでもトラファルガー海戦（一八〇五年）、ワーテルローの戦い（一八一五年）は有名である。

このように、長い十八世紀は、ほとんど間を絶やすことなく他国、とりわけ隣国フランスとの戦争に忙殺されていた。そして、そのほとんどが、従来みられたようなヨーロッパ大陸における領土問題、ないしは覇権争いではなく、政治的名分としてそれが挙げられていたとしても、その内実においては、あきらかに北米大陸におけるフランス、スペインとの植民地覇権、利得権益をかけた戦争であった。この一連の戦いが「第二次百年戦争」といわれるのもそのためだ。さらに、これらが植民地収奪をめぐる帝国同士の露骨な利害対立であったことはいうまでもない。それゆえというべきか、これらの戦争がすべてブリテン島外、遠隔地でなされたということにも注目しておきたい。

たしかにブリテン島は、一〇六六年のノルマンディー公ウィリアム［一〇二七―八七年、在位一〇六六―八七年］の来襲以来、一五八八年のスペイン無敵艦隊のあわや上陸という事態はあったが、対外戦争で戦場となったことは一度としてなかった。

しかし、大西洋を越えての度重なる派兵、戦闘は、イギリスが世界国家としてヘゲモニーを握ってゆく重要な諸段階であったといえる。つづく十九世紀には、アフリカから極東を含む広くアジア一円に軍事展開することになるわけで、十八世紀の行動はそれへと繋がる帝国国家が、世界覇権へと向かう一連の端緒となるものであった。

当然のことながら、これだけの国家的国際行動を維持していくためには相当の戦費調達能力が必要になる。事実、この時期のイギリスを「財政・軍事国家（fiscal-military state）」と表現する研究もある（J. Brewer, *The Sinews of Power: War, Money and the English State 1688-1783* (London: Unwin Hyman, 1989) 邦訳『財政＝軍事国家の衝撃』大久保桂子訳、名古屋大学出版会、二〇〇三年）。

それによれば、「当時のブリテンが、のしかかる莫大な軍事費負担を支えることができたのは、税金の大幅な増額、前例のない規模の赤字財政策（国債）、国家の財政と軍事を統括する大規模な行政部局の整備、という政策を採用したからである」（同書、五―六頁）赤字国債とは、すなわち国内外からの投資を募るということであり、それを担保していたのは国家への信用にほかならない。つまり、それぞれの戦争における勝利のみならず、それによってもたらされる植民地からの収益であり、何にもまして、国家としての抜群の安定度の高さであった。

こうした筋肉質ともいえるイギリス像は、しかし、これまでわれわれが受けてきた十八世紀イギリスの社会表象とは好対照、真反対のものといわざるをえない。

たとえば、この時代を飾る文化的な事象を支える人びとをあげてみよう。詩人アレキサンダー・ポープ［一六八八―一七四四年］、トマス・グレイ［一七一六―七一年］、雑誌『スペクテイター』の編集者ジョゼフ・アディソン［一六七二―一七一九年］とリチャード・スティール［一六七二―一七二九年］、作家としてはダニエル・デフォー［一六六〇?―一七三一年］、ジョナサン・スウィフト［一六六七―一七四五年］、ジョン・アーバスノット［一六六七―一七四五年］、ジョン・ゲイ［一六八五―一七三二年］、サミュエル・リチャードソン［一六八九―一七六一年］、ヘンリー・フィールディング［一七〇七―五四年］、トバイアス・スモレット［一七二一―七一年］、ロレンス・スターン［一七一三―六八年］、『英語辞典』（一七五五年）の編纂者サミュエル・ジョンソン［一七〇九―八四年］、その弟子のジェイムズ・ボズウェル［一七四〇―九五年］、画家ジョシュア・レノルズ［一七二三―九二年］、ウィリアム・ホガース［一六九七―一七六四年］、トマス・ゲインズバラ［一七二七―八八年］、政治家で作家でもあったエドマンド・バーク［一七二九―九七年］、オリバー・ゴールドスミス［一七三〇―七四年］、エドワード・ギボン［一七三七―九四年］、リチャード・シェリダン［一七五一―一八一六年］、哲学者ジョージ・バークリ［一六八五―一七五三年］、デイヴィッド・ヒューム［一七一一―七六年］、アダム・スミス［一七二三―九〇年］等といった華々しい人びとの名が、たちどころにあげられる。彼らの業績を論えば、それだけで万巻の書物を要することになる。

そうした広大、多彩、豊富な文化的事蹟を一方で生み出しつつ、国外にあっては、いや国内においても政府の枢要部においては、きわめて血腥い、損得利害の世故にたけた欲望の世界が渦巻いていたということになる。

それは、国家像についての、従来の自由主義的な表象と矛盾するように見える。ブルーアもその点について、「政府には異なる二つの側面がある。国家とはヤヌスのごときものである。国家は、内に向かっては支配する社会を見つめ、外に向かってはおのれとせめぎ合うことも少なくない他の国家に目を向ける。内に向けられる顔では、国家の通常の仕事は、公共の秩序を保ち、公的正義を実現することにある（法と秩序）。一方外に向かう顔では、国家とは外交という平和的手段か、戦争という暴力的手段を使って、お互いに競い合う」（同書、六頁）と書き、国家は両面の表象をもつと説明している。まことにもって、長くて複雑怪奇な十八世紀なのである。

産業革命とジェントルマン

長い十八世紀の後半を象徴する時代表象は産業革命である。産業革命の始点と終点を鮮明に確定することは難しいが、最大公約数的には一七六〇年代から一八三〇年代までのほぼ七〇年間とするのが妥当のようだ。

繊維機械の改良であるジェニー紡績機が一七六四年頃、アークライトの水力紡績機が一七六九年である。そして、そのあとに続く一連の技術革新は鉄道の開通（一八三〇年）でひとつの到達点を見出す。この間の、さまざまな発明、改良、新技術の開拓について詳細は他書に譲るとして、ここでは別の角度から再考してみよう。

産業革命はなぜ十八世紀のイギリスで起こったのかという、古く且つ素朴でもっともな問いがある。気候風土、自然地勢のような条件づけは、特色を際立たせるには便利だが根本的な理由にはならない。それらは、この時代だけに選別的に当てはまるわけではないし、また、類似した他地域で生起しなかったところもあれば、まったく異なった自然背景をもつところでも技術革新は起こったからである。イギリスが、石炭等の地下資源に恵まれたからという資源起源論が排される所以である。

プロテスタンティズムの倫理によって原因を説明する議論もあったが、物質的な因果論に偏しない意義は認めるものの、いまだに十九世紀的な生産力第一主義の軛に囚われている誇りは免れない。いまやプロテスタンティズムとは無縁な世界各地で、資本主義や技術革新が立ち現われていることをわれわれはよく知っている。一定の時代的な限界を負った議論といわざるをえない。

むしろ、イマニュエル・ウォーラステイン［一九三〇―二〇一九年］の登場によって、もはや無視しえなくなった世界システム論の視点から考えるのが妥当のように思われる。

十七世紀以降のイギリスは積極的に海外進出するようになり、世界覇権を目指すようになった。ところが、政治的な他国支配、植民地経営の内実は、結局のところは経済支配であった。それまでのイギリスが売り込むべき商品といえば毛織物を除いて無に等しかった。

周知のように、初期の産業革命を担ったのは毛織物工業ではなく綿織物であり、陶磁器工業であったが、これらはいずれも、もともと海外からの流入産品であった。つまり、イギリスの産業革命にドライブをかけたのは、おもにアジアから入ってくる物資に対するイギリス人の憧れをもとにした起業であり、それに向けてのさまざまな技術革新の勃興であった（川北稔「工業化への道」、村岡健次、川北稔編『イギリス近代史』ミネルヴァ書房、二〇〇三年、六五頁）。まさに需要（欲望）が生産や技術を促進したのである。

産業革命とそれに続く工業化は、しかし、一旦イギリスで定着し、定型化されるとひとつの範型となり、世界各地へと瞬く間に波及、移転されることになった。移出されたのは、商品化された物資だけでなく、制度や法令、理論など非物質的なあらゆる情報にわたっていた。

イギリスで生み出された精華（成果）は、たしかに世界に移転しうる、また受容可能な普遍性をもっていたが、その根所においては、イギリスの特殊性が見え隠れしている（じつは、産業革命にしても、また工業化や資本主義という経済の仕組みにしても、ひいては近代化があまりに普遍性＝移植可能性が強いために、それが逆照射してイギリスの「非近代性」を見え難くしていたところがあると考えられる）。

産業革命の議論につきものの出来事といえば「囲い込み（enclosure）」がある。十八世紀に起こった第二次囲い込みは、結果として、大量の没落農民を生み、それが工場労働者に転換してゆくことで、工業化は円滑に進み、且つ農業の分野では地主と農業資本家（借地農）、農業労働者の「三分化（tripartite division）」が成立し、農村においても資本主義的生産方式が浸透したということになっている。

この文脈のなかで注目すべきは地主の存在である。この人びとが、十九世紀二十世紀を生き延びて、今日もなお農村地帯では軽視できない存在であり続けているという事実に注目しなくてはならない。

議会で承認された囲い込みの件数は、一七〇〇～六〇年には年平均三～四件、面積にして五〇〇エーカー程度であったが、一七六〇～一八〇〇年にかけては年平均四四件、八万エーカーに達した（川北稔、同書、五七頁）。

一七九三年から一八一五年の間にそのピークに達し、この間に一九六九件の個別立法が成立して全イングランドの九・六％が囲い込まれた（村岡健次「工業化の進行と自由主義」、村岡健次、川北稔編『イギリス近代史』ミネルヴァ書房、二〇〇三年、一三五頁）。

ここでいう地主は、イギリスの場合、たんなる土地持ちではなく、ほぼ直截に大土地所有者を意味する。さらに、社会階級としては、貴族・ジェントルマンを指す。一七六九年のキングと一八一四年のコフーンの社会統計分類によると、階級の上位からいえば、王族（Royal Family）、世俗貴族（Lord）、聖界貴族（Lord Spiritual）、準男爵（Baronet）、ナイト（Knight）、エスクワイヤ（Esquire）に次ぐ階層が狭義にはジェントルマンとなっており、準男爵以下四階級はジェントリ（gentry）と括られている。だが、広義にはジェントリをジェントルマンとすることも多く、その区別は曖昧になっている（G. King, *Natural and Political Observation upon the State and Condition of England*, 1696. P.Colquhoun, *A Treaties on the Wealth, Power, and Resources of the British Empire*, 1814 ともに前掲『イギリス近代史』五七頁、七〇頁）。さらに、上層中流階級に分類される国教会聖職者や法廷弁護士、内科医、上級官吏、陸海軍士官等も十七世紀にはジェントルマンに数えられていた。

イギリスの階級制度はじつに融通無碍、不定形で、時代によっても、また、捉える視点によっても異なることが少なくない。ただ、ジェントルマンについて、「肉体労働ではなく、土地収入で生活すること、地方行政に責任を負うこと、気前がよく勇気や正義心などの資質を備えていること」といった定義は、どの資料にも多かれ少なかれ見られる。

パブリック・スクールやオックスフォード、ケンブリッジ両大学、ロンドンに四つある法学院で教育を受けたことのあるものなども条件にあげられている。もっとも、これら、土地所有や教育、あるいはジェントルマン以上に許されている紋章の使用なども金銭で購入することができたわけで、財力のあるものがジェントルマンとなることは比較的容易とされたのである。

厳密な定義が難しいのは、ジェントルマンとそうでないものとを分ける障壁が厳格でないからだといわれている。ただ、ジェントルマンにとって必要不可欠な条件は、大規模な土地を所有すること、経済的のみならず、政治的あるいは社会的存立の基盤はその一点にかかっているといっても過言ではない。それこそが地方において名望家として憧憬の対象となり、また、選挙を通じて中央政界においても一定の地歩を築く基本的な前提であった。

この人びとが、産業革命や工業化の時代においても、つまり他地域では新興ブルジョワジーの擡頭を象徴する歴史的事件とされた時代においても、じつは重要な役割を担ったのである。

一例をあげよう。産業活動のインフラ整備は欠くことのできない条件であるが、この時代、道路も鉄道もいまだ劣悪な状態だった。

そのなかで、第三代ブリッジウォーター公爵フランシス・エジャートン［一七三六－一八〇三年］は所領地であるワースリー炭鉱から出る石炭をマンチェスターまで輸送するため、わずか一〇マイルだったが人工的水路を開削した（P. L. Smith, *Discovering Canals in Britain*, Aylesbury: Shire Publications, 1981, p.7）。

運河はこれまでも存在したが、明確な意図をもち正確な技術力で建設された運河はこれが初めてであった。この運河は成功を収め、その影響は急速な勢いで全国に波及し、各地で建設ラッシュが相次ぎ「運河狂時代(Canal Mania)」といわれるようになった。

一七八〇〜一八〇〇年頃には総延長四〇〇〇マイルにも及んだ。そうした建設投資は、もとより土地収益による蓄積のあった貴族・ジェントルマン層によるところが大きかった。

かれらは、ただ有閑を貪るだけの人びとではなく、肉体労働こそしないものの、保有する財力を積極的に投資へ循環する知識と情報をもっていたのである。かれらの不可欠な日常生活のひとつである社交が情報交換の有益な機会であることも思い合わせておいてよいだろう。

一方、道路建設のほうも、地方の有力者(もちろん貴族・ジェントルマンの人びと)が寄り集い、議会の個別立法を得て、各地で有料道路信託(turnpike trust)を設立し、建設が始まった。一七七三年には有料道路一般法(General Turnpike Act)が制定され、道路建設は一層容易になった。一八三〇年代までには信託数一〇〇〇、料金所(ターンパイクの謂)数八〇〇〇、全国総距離約二二〇〇〇マイルに達した。これも「有料道路熱狂時代(Turnpike Mania)」といわれている(村松赳、富田虎男編『英米史辞典』研究社、二〇〇〇年、七六五頁)。

道路建設も運河建設も、その実現には、ともに然るべきまとまった、そして複数の利権者の絡む土地が必要になる。中央にしろ地方にしろ、それらを糾合し調整するような強大な権力者ないし権力的行政機構はイギリスにはない。あるのは、地方の所領地にしっかり根づき、且つ定期的にロンドン政界とも往復し、緊密な人間関係のネットワーク網を築き情報を取り合う貴族・ジェントルマンの人びとであった。

かれらも、たんなる慈善的精神（charitable mind）からではなく、投資、収益目的からこれらに積極的に関与していたと考えられる。かれらが、十九世紀になるとシティの金融機関を通して海外投資を盛んにおこない莫大な利益を上げていたこともよく知られている（男子長子相続が基本のイギリスでは、貴族・ジェントルマンの二・三男は売官によって高級官吏になったり、植民地の総督府などに出向するとか、法曹界またシティの有力金融機関に進んだりするものが多かった）。

産業革命が、さまざまな市井人の知恵や才覚、向上心や立身出世への強い意志によって広範で多彩な技術革新を生み、大規模な産業の拡大をもたらしたことは事実である。しかし、その結果は、他地域と同様、中産階級の増大はみられたものの、多くの成功者は、ジェントルマン化して支配層へと組み込まれていったというのが、イギリスの実態に近いのである。

ジェントルマンであることへの強い執着、成功のあかつきには地主化し、ジェントルマンのあかしである家紋をえて、支配階級の一員として体制に融合してゆく傾向は、十八〜十九世紀のイギリスが、大陸諸国と較べて相対的な社会の安定を維持することができた一因である。それには、ジェントルマンであることが、貴族・ジェントリという実態と、教養や生活様式によってジェントルマンでありうるとする理念の二本立てで通用している「開かれた貴族制」であったことが関与している。（川島昭夫「工業化時代の生活と文化」前掲『イギリス近代史』一八八頁）

開かれた貴族制とは、貴族という称号が完璧に固定的、排他的ではなく、財力とそれを基にした向上的な生活の改善意欲があれば、それに参入することができるという、社会流動性（social mobility）をもつ緩やかな制度だということだ。

また、逆に、貴族・ジェントルマンの係累が家名や体面を汚すことなく実業に関与することができるということも示している。頗るもって融通無碍なのである。いずれにしろ、前述のように、イギリスが近代社会のなかにあって、市民の平等を実現した社会とは、どうもいえない姿を多分にもっていることは明らかだ。これまで、それが明白でなかったのは、近代市民社会という表象を過信したがために、イギリスの非近代的な現実が見えなかったというほかはない。

長い十八世紀は、一八三〇年頃になってようやく次の世紀を迎えることになる。

その転換点となる出来事を拾ってみると。一八二八年に審査法（国教徒であることをすべての官職保持に強制する）の廃止。二九年にカトリック教徒解放法が施行され、一連のカトリック教徒差別が法制上、停止となった。

三〇年に世界で最初の鉄道営業がマンチェスター・リヴァプール間に開通する。試験的な鉄道走行は、二五年にダーリントン・ストックトン間ですでにおこなわれていたが、蒸気機関車による、旅客と貨物の商業目的とした本格的な鉄道開通という意味で、イギリス産業革命の特筆すべき到達点と考えられている。

ここから先は、工業化の拡大ということで、産業発展のいわば成熟期に入っていくことになる。そして、一八三二年、選挙法改正（第一次）がおこなわれる。その内容は、従来、大土地所有者（および納税者）に限られていた選挙権を一定額以上の土地保有者および借地農に引き下げたこと。振興の工業都市部では、一定価値以上の家屋、店舗の所有者ないし賃借者にも選挙権を与えたこと。都市にも議席を配分したこと（それまで選挙区割りは農村部に圧倒的に偏っており、また、議席の売買が公然と罷り通る腐敗選挙区が多数存在した）。有権者の登録制を制度化したこと等である。

選挙法改正はこの後も一九二八年まで五回にわたり繰り返されるように、徐々に現在のような形に段階をおって実現されてゆく。したがって、三二年の第一回は、まだその緒についたばかりとはいえ、これは大きな動きであった。貴族・ジェントルマンに独占されていた選挙制度に、少しでも風穴が開いたからであり、その寡占体制に終わりが刻印された。さらにいえば、名誉革命体制の終焉となったからである。蓋し、長い十八世紀の終末であり、数年後（一八三七年）には、十九世紀を象徴するヴィクトリア女王が登位することになる。

「産業革命」という言葉は、じつは、その時代、その渦中にあった人びとが当代を的確に描出しようとして出た表現ではない。ずっとのち、十九世紀も半ばをはるかに過ぎてから、それも、経済史家ではあるが社会改良や慈善事業、協同組合、教会改革に関心の強かった人物（アーノルド・トインビー［一八五二─八三年］）によってであった。

つまり、技術革新の結果、産業活動は大いに伸張したが、その一方で多くの悲惨も同時に生み出したという問題意識のもとに発掘した言葉なのであった。産業革命といえば、とかくにその光の側面、人類の輝かしい栄光と捉えがちだが、陰の側面もまた多く伴っていたことを、この言葉の発意は示している。

また、内戦を市民革命と言い飾り、市民的自由が世界で初めて実現した国、国王を断頭台に送ったことで市民的平等が世界で初めて獲得された国と、日本では錯覚されてきた。だが、二一世紀現在のイギリスは、自由はともかく近代市民社会的平等の達成場とは、どう贔屓目に見ても断言することはできない。

首都ロンドンの一等地には、有力貴族数家の所有地が広がっているというし、有力企業の株主には貴族やジェントルマンの名がずらりと並んでいる。階級制度が、たとえ社会流動性を許容する途が開かれているとはいえ、体制的にも精神的にも厳然と存続しているのである。

今日、十八世紀の姿は、第一印象で受けたのとほとんど変わらない。すなわち、数においては比較少数でありながら、土地と富においては比較多数である貴族の、大いなる時代であったということ。この貴族というもの、新しい血を受け入れるどころか、大陸の貴族と同様に、すこぶる排他的にもなったといわれている。いささか誇張した言い方ではあるが、ブルジョアといわれるものの台頭よりよりも、貴顕貴族の特殊な位置づけというものは、けっして否定されてはならない。

(G. Elton, op.cit., p.161)

イギリスに、フランス革命のような、あるいはロシア革命のような王政を倒し、共和制に移行する革命がなぜ起きなかったのか。イギリス観察を始めたころの素朴な感懐であった。だが、調べるほどに、それは起こりえなかったことが確実になってきた。

本章でも示したように、名誉革命こそは王政を温存する、まことにイギリス風の妥協のつけ方だったのである。つまり、名誉革命を推進したのは議会、すなわち貴族・ジェントリの人びとであり、かれらの意に叶う君主を頂点に据えることは、そのままかれら自身の階級的自己保身に結びつくからである。

かりにかれらが主体になり、共和制に移行すれば、かれらの階級秩序そのものが危機に曝されることは火を見るより明らかだ。君主制を温存し、換骨奪胎すれば、かれらの意向どおりの序列秩序が維持できるわけだ。これはまことに清々しい権謀術数、巧みで狡猾な政治的深謀遠慮というほかない。

イギリスは不思議な国、一筋縄ではいかない国とも表現される。たしかに、十九世紀の海外進出において、老獪狡猾な外交手腕を発揮したことはあまりにも有名。

十八世紀のイギリスは、まさに、その大英帝国形成に向けて助走から加速をつけていく時代だったといえよう。本章では、その国内事情の一端を紹介してみた。

はじめに

一九九六年七月五日、スコットランドの首都エディンバラ南郊にあるロスリン研究所で画期的な出来事が起こった。胚クローンによって人工的に作られた羊、名づけてドリーの誕生である。人類初の偉業として世界的な話題になった。

とはいえ、無から有は生じない摂理で、これにはいくつもの前段がある。一九七八年七月二五日、イングランドのオールダムで生まれた初の体外受精児ルイーズ・ブラウンの例もそのひとつだろうし、さらには、ジェイムズ・ワトソン［一九二八―］、フランシス・クリック［一九一六―二〇〇四年］の二人が一九五三年にＤＮＡの存在を発見したことも大きな遠因と数えてよいだろう。多くの発見や発明がそうであるように、そこにいたる長い道程があるというわけだ。

いや、長い道のりといえば、牛や豚、鶏の人工的繁殖を連綿と続けてきたことも、また、サラブレッドという新しい馬種を意図的に開発したことも、ドリーに繋がる過去からの長い延長線上に位置しているといってよい。

人間のそば近くにあって、人間の用に供される生物のおおいなる「存在の連鎖」は、なにも神の御意思による恩寵などではなく、現実の、人間による、人為の産物なのだ。そして、神意をものともしないこのような意識の背後には、あらゆる生物が、じつは機械的メカニズムを生体の機能としてもっているのだと、そういう、強い確信がかなり早い頃からあったことは間違いない。

こうした識閾のなかに、血液循環のシステムを発見したウィリアム・ハーヴェイ［一五七八―一六五七年］や利己的遺伝子で有名なリチャード・ドーキンス［一九四一―］、さらには進化論のチャールズ・ダーウィン［一八〇九―八二年］を見出すこともできる。どの主張も、言い出したその当時においては荒唐無稽の反応や誘りを受けたが、その後の歴史はそれぞれの正しさを証明している。何よりも驚くべきことは、どれもじつに現実的で、具体性や実際性に溢れているというところだ。

そして、ここに挙げたいずれもがイギリス（イングランド、スコットランド、ウェールズを総称して）に現れた出来事や人びとであったということに、改めて注目せずにはいられない。もとより、自然科学を含めて、あらゆる文化表象（人為的営みの現象形態）は、そこに住まう人びとの性格（人性＝

human nature）と深く結びついていると。そう考えているものからすると、ひじょうに実際的なものの見方こそは、まさにイギリス人の特性だといって過言ではない。

体外受精をはじめ生殖医療について、イギリスがアメリカと並んで世界のなかで抜きん出た先進国であることは知られていないだろう。日本では医の倫理で問題になる代理母による出産は、すでに一九八五年以来実施されているし、卵の提供を受けることで生殖年齢を過ぎた女性の出産も実現している。また、同性愛者（男性、女性を問わず）の出産および出生（養子）登録も可能になっている。これとは別に、各種臓器の移植医療も格段に進んでおり、心臓移植については、年間二〇〇例以上が実行されている。

このような極めて乾燥した現実感覚がどこからくるのかといえば、ようするに、人間は皆ひとしく幸福に生きる権利があるという、近代市民社会のまことに単純な基本的理念からにほかならない。その証拠に、そうした医療関連の施療がＮＨＳ＝National Health Service（国民保健制度）により、ほとんど無料でおこなわれている（ときには性転換手術でさえ対象となる）事実があるわけで、理念がたんなる理想ではないことがわかる。ようするに社会の成員が幸福を求めるとき、政府はそれを妨げるべきではないという考えが浸透しているのである。

人間が幸福に生きる権利およびそれを基本とした倫理思想や社会政策、それは功利主義（Utilitarianism）というかたちで明確に理論化され、思想史上に、イギリス近代を特徴づける社会思想としてその名をとどめている。

もちろん、一人ひとりのイギリス人が社会理論をイデオロギーとして意識し、教条を振りかざすことはないかもしれない。また、思想と生活は短絡するものではなく、ある一定の距離と曲折が存在することも確かだろう。だが、それでもなお、そこには相関性があることも否定できない。そうでなくては、社会理論は机上の空理空論に堕するだろうし、説得力も有効性も持ちえないことになる。人びとの暮らしぶりや生活感覚に、なんらかの指向性を認め、それを抽象化し、体系化したものが社会理論なのだから、人びとの共有する意識（共同主観性）と理論は、連続したプロセスの上にあるといってよいのだ。

ここでは、イギリス独特といわれる経験主義（Empiricism）の理論と功利主義の思想を瞥見し、産業革命や資本主義体制の成立などで近代社会の尖兵の役割を果たしてきた、イギリス社会とイギリス人の人性との哲学的背景を探ってみよう。

経験主義

哲学思想史の定説からすると、十七世紀から十八世紀にかけて、海峡を挟んでそれぞれ異なる思潮が生まれたということになっている。

大陸側では、デカルト〔一五九六―一六五〇年〕、スピノザ〔一六三二―七七年〕、ライプニッツ〔一六四六―一七一六年〕といった哲学者が現れ、いずれも、人間の理性を基本に議論を展開した。それらを総称して、大陸合理主義思想と呼ぶこともある。それに比して、対岸のブリテン島では、理性の絶対性より、人間の経験や習慣を重視する経験主義が生まれたとされている。哲学史理解の初歩である。

イギリス経験主義の濫觴は、ロジャー・ベーコン〔一二一四？―九四年〕もしくはトマス・ホッブス〔一五八八―一六七九年〕ということになっているが、ここでは、ジョン・ロック〔一六三二―一七〇四年〕およびジョージ・バークリ〔一六八五―一七五三年〕、デイヴィド・ヒューム〔一七一一―一七七六年〕に絞ってその諸説を覗いてみよう。

ちなみに、中世ヨーロッパのスコラ学者の間で展開された「普遍論争」において、ウィリアム・オブ・オッカム〔一二八五頃―一三四九年頃〕などイギリスの学者の多くが唯名論の立場に立ったことを考えると、近代以前からイギリスの思想風土が、広義には経験主義的な傾向をもっていたとみることができる。

西洋哲学史において、ロックは認識論に初めて道を開いた哲学者と位置づけられている。

それまでの哲学は、古代ギリシャ以来、存在論（形而上学）が一貫した主要課題であった。この世界の存在根拠を問うというのが伝統になっていたのである。ところが、十七世紀になって、この世界をどう捉えるのかがようやく自覚されるようになって、その意識の中身を分析するようになってきた。要するに、人間の、そして意識の問題が前面に出てきたわけである。それまで、どうしてそれが問題にならなかったのか不思議になるくらいだが、逆にいえば、近代が人間の時代といわれる理由のひとつがここにも現れているといえるだろう。

そうした趨勢に先鞭をつけたのは、やはりデカルトをおいて他にはないだろう。デカルトは、神の存在や物体の存在を実体として措定したが、それとまったく同等に、精神すなわち思惟する我れ(cogito)の存在(sum)も実体として認めたのである。その核心を表現したのが、れいの "Cogito, ergo sum." で、英語では、"I think, therefor I exist." と訳されている(ラテン語では人称代名詞を使わない)。

ここでいう実体(substance)とは「それが存在するうえで、他のいかなるものも必要としないあるもの」と定義されている。ようするに、それだけで独立自存する、自律的、絶対的なあるものということ。

すぐに思いつくのは、神、とりわけ、創造主、唯一絶対的な一神教であるユダヤ・キリスト教の神ということになろう。その神はこの世界そのものを創った原点と位置づけられている。神こそは始原なる永遠な実体なのである。

しかも、デカルトの先見性は、神の実体性をもとより認めるとともに、そうした性格を物体と精神にも認めたところである。ただし、神が永遠であるのに対して、物も精神も限りある有限実体とされ、違いを銘記された。それでも、物が精神とは独立に実体を認められたところにデカルトの革新性がある。その意味で、デカルトは近代唯物論の先駆者ともいわれているのである。

デカルトは中世および近世の神秘的精神主義とは袂を断ち、徹底した合理主義で、透徹した眼差しはこの世界を数理によって理解することを伴っていた。ギリシャ以来の代数と幾何を統合したのもデカルトといわれている。

そして、精神の自律性を支える根拠のひとつとして措いたのが、生得観念（innate ideas 本有観念とも）という概念だった。デカルトのいう精神は、方法的懐疑という思考実験的な手続きによって得られる絶対確実な思惟する存在なのだが、その本体そのものは生得的に与えられていると考えたのである。ここには、十九世紀のドイツ観念論と呼ばれる一群の哲学者までつながる萌芽がすでに出ている。つまり、生得的な観念というのは、ア・プリオリ（a priori）に存在するということだし、それは先験的、超越的（transzendental）という意味にもなり、フランスやドイツの近代の合理主義哲学に共通する了解概念となっていた。さらにいえば、「真理」や「本質」といった西欧精神史に特有の概念とこの実体概念とが密接に繋がっていることも窺えるであろう（「真理」も「本質」も、いまではごくふつうの日常語になっているが、じつは実体と深く結びついていることに、今更ながら注意）。

いささかデカルトに寄り道しすぎたが、ロックを考えるには、それがどうしても必要な前提だったからだ。なにしろ、ロックをはじめとするイギリスの経験論思想は、過分とおもえるほどにデカルトを意識し、批判するところから出発するからである。

ロックの批判は、ひとえに生得観念の存在にある。人間の観念が生ずるのは、まず予め与えられた観念からではなく、すべて経験によって後天的（a posteriori）に与えられるものからだ。心はいわばなにも書き込まれていない「tabula rasa（なにも書いていない石板）」のようなものだという有名な言葉もある。

心はどこから理性や知識、そのすべての材料を得るのか。これについて私は一言で答えよう。経験からと。そこにこそ、われわれの知識のすべてがよってもって立っているのであり、そこからすべてが究極的に由来するのである。（ジョン・ロック『人間知性論』（*An Essay Concerning Human Understanding*, 1689）第一巻、第一章、第二節）

人間の精神が外界と繋がるのは、感覚をおいてほかにはなく、それゆえ、経験とはこの感覚とつねに共にあることがわかる。デカルトが、明晰判明で絶対確実な知を得るためには、頼りにならないもの、まったく不確実なものとして排除した感覚に、経験論は基本的な出発点を置くのである。赤いものがときに青く見えたり、極度に冷たいものが熱く感じたり、感覚はさまざまな状態の如何によって欺かれることはあっても、それでもなおこの感覚経験を通してしか外界を知ることはできないのである。

感覚によって捉えられる外界の物体的対象は、いうまでもなくデカルトにおいては独立自存のひとつの実体であったが、ロックにあっては、第一性質（primary quality）と第二性質（secondary quality）とをもつものと考えられた。前者は、固体性とか延長、形態、運動といった物体と切り離すことのできない固有な性質。後者は、色、香、味、音など、たしかに物体なくしては喚起されることのない性質ではあるが、人間の感覚によってさまざまな制約を受ける性質である。

このように、物体の性質を二つに分けたということは、経験論が感覚を基本にすることからくる必然ではあるが、物体の絶対的な実体性に楔を打ち込む意味では、デカルト的実体論から大きな前進であったといえよう。しかし、その一方で、経験論の徹底という見方からすれば、いまだ不十分と批判されることも火を見るより明らかだった。

ロックのあと、ほぼ半世紀後に登場するバークリは、物体の第一性質と第二性質という区別は無意味であると論難する。そもそも物体がいかに存在するかといえば、それは人間の知覚によって捉えられるほかないわけであって、あたかも永遠不変のような実体としての物体が存在するわけではない。だから、物体に固有な性格などを聊かでも認めることは笑止千万というのである。

なぜ次のように述べてはいけないのだろうか。すなわち、形状や延長は物体のうちに存在する性質の範型ないし類似物などではない、と。なぜなら、そういう形状や延長というのは、同じ眼にも位置が異なると、あるいは、同じ位置でも組織の異なる眼には、さまざまに見えるし、それゆえ、心の外にある定まった確定的な事物の心像ではありえないから、と。（ジョージ・バークリ『人知原理論』（*A Treatise Concerning the Principles of Human Knowledge*, 1710）第一四節）

ここからバークリの存在の原理である「存在とは知覚されるということである」（Esse est percipi）が導き出される。ここに至って、物体のア・プリオリな実体性は完膚なきまでに排除されることになった。しかし他面、これは主観的観念論とほとんど大同小異ともいえる境位である。知覚する主体が存在しなければ、実在の物体すべての存在が否定されることになるからだ。

ところが、現実はそうではないわけで、特定の認識主体＝精神が存在しなくても物体が存在することは確かであり、バークリはそれを保証するものとして、人間の精神以上の精神の存在、つまり神の存在を持ち出すのである。わたしは見ていなくても、神が見ているというわけだ。いささか「機械仕掛けの神」（Deus ex machina）の趣もないではないが、もとよりアイルランドの聖職者であったバークリならではの主張といえなくもない。ただ、ここには経験論が陥る懐疑論という陥穽がすでに見られることもたしかである。

このように、ロックにせよバークリにせよ、知覚する主体である精神による、実際の経験を媒介しない実体の存在は批判したが、両者共に、神と精神そのものの実体性については無自覚であった。

たしかに、バークリは自我を称して「感覚の束」と、ある種、元も子もないものとし、精神を感覚に還元したのだが、その感覚そのものの実体性までは否定しきれていなかった。

これをさらに批判したのがヒュームである。

ヒュームの非実体化の議論は複雑で仔細かつ膨大である。主著『人性論』（*A Treatise of Human Nature*, 1740）の「知性論」に依りながら、議論の核心部分を要約的に触れてみよう。

ヒュームにとっても知覚的経験は、観念を形成するうえでの必須の条件である（ここではすでに精神が何らかの対象を持つことによって成り立つという、精神がそれだけで自存しないことが含まれている）。そして、知覚とは観念の関係性（分離と結合）のことであり、それを七つに分けている。すなわち、類似、反対、質の程度、量または数、同一性、時空的関係、因果関係である。このうち前四つは知識を与えるもの、後の三つを蓋然性に属するものと分ける。いうなれば、知識は直観的、論証的で数学的明証性に関わるもの、一方の蓋然的な認識は、もっぱら経験に基づくもので、その真偽の判断はア・プリオリにはなされないという。

このなかで、とりわけ因果関係についての議論は有名である。

われわれは時間の観念を得るとき、それを物事の因果関係から類推することが多い。たとえば、事実Aが事実Bの原因であるとき、AからBへの推移によって時間の経過を認識するように。しかし、実際の時間的関係からいえば、われわれはまずBという事実を得て、その原因を探ることではじめてAに辿りつくのである。つまり、われわれにとっての事実の時間的な並びは逆転していることになる。

また、Aに類する事実があったとき、Bという結果がいずれ顕われると予測する。だが、たとえその予測どおり現実にBが得られたとしても、それはあくまで高い蓋然性によって顕われたにすぎないわけで、そのAとBとの間には必然的関係はいささかも存在しないというのである。

それでは、なぜわれわれは、そのような推理をし、またそれが往々にして誤ることがないのか。それは、「習慣」によるからである。過去の恒常的連接（因果）の経験によって、ある対象からそれに通常随伴するものへと移行する高い傾向性の観念を得るのである。つまり、ある事実が起こったとき、その結果としてある事実が起こることをわれわれは繰り返し経験のなかで習慣的に知っているので、予測することができるというのだ。それらが起こる確率が高ければ高いほど予測は確実になる。それでもなお、それらの間には絶対的な必然性はない、というのである。

こうして、事実の認識は習慣的経験に基づくものと結論づけられたのである。ヒュームの議論の核心は懐疑論であるといわれるが、必然性や存在の実体性を否定するところからは、懐疑論からさらに進んで、ある種、虚無的な傾向さえ出てくるのは当然ともいえるだろう。

そして、精神についても、恒常的で普遍的な我、すなわち実体としての精神は否定され、「さまざまな知覚の束ないし集まり」、「いくつもの知覚が登場する一種の劇場」と表現されることになる。

もはや、人間は、全人格をもつ独立自存の存在ではなくなったといっても言い過ぎではない。剰え、「東」という表現には、人間が関係性の総体だとする現代の人間観を予感させるものがあるし、「劇場」という隠喩には、自我がさまざまな現象の立ち現れ演じられるトポスだとする、かなり根源的な自我の脱構築である。これは、近代的自我への、かなり早い時期における過激な批判とみることができる。理性主義にせよ、実存主義にせよ、自我論の系譜がもっぱらフランスやドイツといった大陸に現れたのと、これはまことに好対照をなしているといえよう。

＊

かなり大づかみに経験論の由縁を見たが、ロック、バークリ、ヒュームいずれの知性分析も細密、精緻をきわめ、細部を紹介するのは、却って益をうるところ少ないと判断したゆえである。

近代西欧思想史は、たしかにデカルト以来の大陸合理主義が主流を占めてきた。現代のサルトル［一九〇五―八〇年］やフッサール［一八五九―一九三八年］、構造主義やポスト・モダンと呼称される多くの思想も、多かれ少なかれ合理主義の洗礼を受けている。そうした趨勢のなかで、イギリス経験論の流れは、道徳論や経済学、政治学といった命脈を保った。ヒュームの所説に見られたように、自我を中心とする自律的精神の必然性より経験に基づく習慣に根拠をおく以上、それは自然な帰結であった。

「科学技術」という言葉がある。科学理論とその実現手段としての技術というほどの意味で、両者を切り離すこともできれば相即不離と考えることもできる。しかし、イギリスの近代史を眺めると、自然科学の理論としていかに優れた内容をもつものであっても、それが技術に応用され、具体性を帯びるものになってゆかなければ人びとの生活に有益なものにはならないと、イギリス人は考えてきたかのようにみえる。産業革命はもとより、農業改革や医療革新がこの国で次々と生まれたのは、けっして故なきことではないのである。

功利主義

イギリス（イングランドとウェールズ）は、一五三四年、「国王至上令」を発して、ローマ・カソリックから分離独立し、国王を頂点とするイングランド国教会をうち立てた。これがイングランド宗教改革である。当時、大陸にあっては、すでにマルティン・ルター［一四八三―一五四六年］による改革の狼煙があがっており、ほぼ一世紀間にわたり、プロテスタント、カソリック両派の宗教戦争が始まっていた。それほどに、宗教改革は、大陸においては苛烈をきわめたのだが、イギリスにあっては、ほとんど深刻な対立を生ずることなく推移したのである。十七世紀の、清教徒議会派と国教徒国王派との内戦も、実態はもっぱら権力闘争であった。それは、誤解を恐れずにいえば、この国の人びとがもともと篤い信仰心からは距離のある心性を持していたからである。

そうした精神風土をもった土地であれば、人びとの生活倫理を司る宗教が、その影響力を衰えさせればさせるほど、学問としての道徳論が要請されるのは不可避だろう。近代の倫理学が、プロテスタンティズムの強いイギリスや、その他ドイツ、オランダといったところで勃興してきた所以がここにある。

道徳論は、人間や社会の「あるがままの姿」と「あるべき姿」を開示しようとする学問である。古くから現代にいたるまで、人の救いを説く宗教に内包されてきた道徳論は、もっぱら後者を指向してきた。キリスト教倫理から敷衍するヨーロッパの道徳論は、プロテスタントの地域でさえそうした内容をもつことが多かった。

ところが現実感覚の濃厚なイギリスでは、人間や社会をある方向に教導しようとするよりも、人間のいまある姿を正直な本音に基づいて分析しようとする道徳論が発達したのである。つまり、道徳を精神鍛錬の学としてではなく、また、ある理念のために精神を指導する体系としてではなく、個人や社会集団の利益、幸福を追求する、社会の学として考えようとしていたということである。だからこそ、イギリスでは、道徳論が政治学や経済学と深く結びついたのである（アダム・スミス［一七二三–九〇年］は主著『国富論』（一七七六年）のはるか以前に『道徳情操論』（一七五九年）を書いており、それが社会研究の基層になっている）。

それでは、現実の人間や社会は、その本音の指針としてなにをもって暮らしているのか。結局のところ、それは、苦しみを排除して幸福を、不快を避けて快いことを求めているのだと、個人も社会も同じくこの原理を追求しているのだと、イギリスの道徳論は主張する。これが、すなわち功利主義の要諦である。

イギリスの代表的な功利主義思想家としては、ジェレミー・ベンサム［一七四八―一八三二年］、ジョン・スチュワート・ミル［一八〇六―七三年］などの名前がすぐにあがるが、トマス・ホッブス［一五八八―一六七九年］にしろ、前述のロックやヒュームにしろ、もちろんスミスを含めて、イギリス社会思想史上のほとんどの人びとが、その程度に違いこそあれ、功利主義とけっして無縁ではないといって間違いはない。

ともあれ、功利主義の定義を示しておこう。

功利主義の信奉者はすべて、つぎにあげる命題が真であることを主張または仮定している。

1　快楽はそれだけで善であるか、それだけで望ましい。あるいは、快適なものもしくは快適なものへの手段だけが善と呼ばれる。

2　二人またはそれ以上の人びとがそれぞれにもっている同等の快楽は同等に善である。

3　どんな行為であれ、それがその状況下で最大幸福をいちばん生み出しそうな行為であると行為者に思われないならば、その行為は正しくない。あるいは、どんな行為であれ、それがその状況下で可能な最大幸福を生み出す型のものでないなら、その行為は正しいとは呼ばれない。

4　自国の政府に対する各人の義務と各人に対する政府の義務とは、政府がはじめて権力を獲得するのに用いたり、現に権力を維持するのに用いている方法とはなんの関係もない。ただし、政府の起源と統治方法とがこれらの義務を遂行する能力に影響を及ぼしている範囲では別である。(註1)

これはさまざまな功利主義思想家の基本的な共通理解を抽出したものとされており、なかでももっともよく知られた標語である「最大多数の最大幸福」が含まれている。この言葉そのものは、もとフランシス・ハッチソン［一六九四―一七四六年］が初めて使ったとされているが、その後、ほとんどの道徳思想家がこれを踏襲し、その意味で、イギリス社会思想の金科玉条ともなっている銘句である。

ようするに、社会の成員はすべて幸福を求める権利を等しく有しているということであり、いかなるものもそれを妨げてはならないということである。したがって、政府は多数の人びとの最大幸福を促進するよう施策をおこなうべきであり、これを妨害するものは排除するよう働かなければならないと考えるのだ。

これは、見方によれば国家に対しかなり楽観的ということもできる。かつてホッブスは、人びとがそれぞれの権利を主張すれば、社会は万人が万人に対して戦いをすることになり、国家はそれに対する抑止力として強大な権力をもつことになると説いた。その後の一連の社会論も、人びとの基本的な自由を土台とする立場から、政府に対しては警察国家的な役割を付与し、それは一面で権力の横暴を軽視するという楽観を生んできたようにも考えられる。

いま、イギリスでは全国に約四百万台以上の犯罪監視カメラが設置されている。駅や空港、公共施設、繁華街はいうまでもなく路地裏にもビデオカメラの目が光っている。ジョージ・オーウェル［一九〇三─五〇年］の『一九八四年』（一九四九年）がＳＦの空想物語ではなくなっているのである。これの導入時には一部に反対の声もあがったが、社会運動となるほどの高まりとはならなかった。むしろ、いまでは、同時爆弾テロの捜査などに威力を発揮し、増設の声さえあがっている。人びとが幸福に暮らす権利を阻害する犯罪者の摘発は、政府の施策としては当然のことだと受け止められているからである。プライバシーの侵害と社会が挙っていきり立つことはない。プライバシー保護などあまりにも当たり前のことで、今更にこと改めることではないと考えているかのようである。

それは、行政権力の濫用に対するオプティミズムといってよいが、権力が甚だしい逸脱をしてこなかった、あるいはあったとしても遠い過去に経験したのがイギリスなのである。あからさまな恐怖政治は、皮肉なことに共和政時代の革命政府に凝縮されている。概ね、議会による官僚国家への牽制がこの国の政治風土であった。もちろん、その同じ気風が、現実を肯定し、たとえば階級制度を温存するような雰囲気を醸成してもいるのだが。

こうした現実感覚に優れたイギリスの社会思想は、社会に対しさまざまな発言や提案をおこなってきた。わけてもベンサムは、幸福の増進と苦痛の回避という視点から、多くの社会制度を批判的に捉えなおし、具体的な改善を提言した。刑務所の改革、死刑制度の廃止、貧民救済、選挙制度改革、産児制限、女性解放などはその一端である。(註2) 就中、パノプティコン(一望監視システム)で有名な刑務所改革案は、結果として囚人看視の効率化による権力強化という議論にはなったが、もともとの本意は、権力への内在的拝跪による囚人自身による自力更生を促すところにあった。ベンサムの処罰観は、近代刑法の精神を先取りするものであったともいわれる。

ベンサムの影響は、その死後の一八三三年に成立した工場法や教育法、三四年の改正救貧法、四八年の公衆衛生法などの立法者がいずれもベンサム主義者をみずから公言していたところなどにも現れている。また、十九世紀の良心ともいわれるミルが、その基本的精神をベンサムから継承していたという事実もある。

＊

功利主義は、苦痛を取り除き幸福を求めることが人間のあるがままの姿だということを認める点で、人類の普遍的課題を素直に解き明かしている。そうした考え方は、古代ギリシャのエピクロス［前三四一頃—前二七〇年頃］以来、また揚雄［前五三—一八年］などの中国思想のなかにもそれに類するところがあるように、歴史的に目新しいものはない。しかし、イギリスの功利主義ほどに、その理想をいとも素朴に、率直に吐露し、体系化、理論化したものは他にはない。また、その精神が現在のイギリス人のなかにごく当然のこととして血肉化され、共有された空気のようになっているのである。

こうした実利を尊ぶ精神が大西洋を渡り、アメリカ合衆国の哲学思想である実用主義（Pragmatism）に繋がっていることはいうまでもない。とかくイギリス人はアメリカを蔑む傾向があるが、それは、同属ゆえの親しみの表れと見えなくもない。かつての植民地だったからでもない、同一の言語を使うからでもない、精神の深い部分で同根であるという意識がどこかにあるからだろう。

イギリスは、政治形態としては、一貫して立憲君主制の形をとってきている。ただし、一巻の成文化された憲法はない。マグナ・カルタ（一二一五年）以来の、さまざまな権利章典を一括りにして国家の法的基本文献としているのだ。理念的な形式に拘らないという人性のなせるところといってよい。司法において判例重視の慣習法に拠るところが大きいのもその現われだろう。

また、一貫した君主制とはいいながら、過去に十一年間だけ途切れたことがあった。共和制を経験しているのである。その後は、「君臨すれども統治せず」の言葉どおり、君主に権力の実質は何もない。だが、毎年十一月の国会開会のさいは、君主（女王）が（首相起草の）施政方針演説を読み上げる。ここでは、内実より儀式的な形式に徹底して拘る人性が顕われている。

一筋縄ではいかないのである。

それは、透徹した理性主義に偏らない、まさに現実との接触、経験に依拠しているからにほかならない。現実の世界は多様であり、混沌としているのだから、それへの対応は一筋縄でいきようがない道理である。

原理原則を立ててそこから規則に則って結論を導くという演繹的論理より、さまざまな具体的事実から一般的な結論を導く帰納論理を好む、それもこの国の人びとの思考でもあろう。帰納法論理学を完成したのが、他でもないジョン・ステュワート・ミルであることを言い添えておこう。

あらためて繰り返すが、この現実の世界こそは原理、原則で動いている世界ではなく、習慣に支えられている世界なのである。ヒュームが、因果関係の必然的確実性を認めず、究竟、その判断の根拠は習慣であると言い切ったとき、そこが経験主義の根本だと見抜いたのであろう。理性主義の立場からすれば、習慣などという不確実、曖昧きわまりないものに依拠するのは、じつに危ういとされるだろうが、しかし、人間の作り上げている現実社会の多くは、日々の積み重ねと、互いの信頼から成り立っており、それが社会の安寧をもたらしてもいる。イギリスに上を下への革命が起きなかったのも、階級的区分けがいまなお息づいているのも、どうやらそのあたりに理由がありそうだ。

註

（1）John Plamenatz, *The English Utilitarians*, 1949.『イギリスの功利主義者たち――イギリス社会・政治・道徳思想史』堀田彰・泉谷周三郎・石川裕之・永松健生訳、福村出版、一九七四年、第一章。項目4についてはいささか説明が必要だろう。個人と政府との義務関係は、政府がたとえば専制強権政治をするといった統治方法のいかんにかかわらず発生するのだという。ただし、政府が国民の承諾なしにクーデターなどで成立したり、国民の福祉を遂行する財政的能力もない状態のような場合には、そうした義務関係は発生しないという、のである。いうなれば、まことに理想的な国家の在り様を指しているといえよう。

（2）寺中平治・大久保正健編『イギリス哲学の基本問題』研究社、二〇〇五年、一三八頁

第二部

多様な表情を持つ
イギリス

1　ロンドンの人間模様

イギリス文化史を専門にし、足を向けることかれこれ四〇年。この間、イギリスの変化はまことに興味深いものです。そしていま、時代は一層、多様性に満ち溢れた様相を顕しつつあります。このコラムでは、それら変わりゆく姿の一端を紹介していこうと思います。

まずはロンドンの人間模様。

ひところよく耳にしました。「日本人はとかく群れたがる。海外に駐在すると寄り集まって生活し、現地の人たちと接触したがらない」と。日本の住まいを「ウサギ小屋」と評され、それを真に受けて自嘆し、恐れ入ったこともありました。ですが、我らが陋屋よりはるかに狭い住処で、はるかに多くの人間が暮らしているところなど、世界にはいたるところに存在しています。

寄り集まってといえば、世界に冠たる多民族都市ロンドンなどはその博覧会場といえるでしょう。北部のハリンゲイあたりにはトルコ・キプロス系、東部ブリックレーンにはバングラディッシュ、ニュウハムにはインド系、南部モーデンはコリアン、ブリクストン周辺はカリビアンやアフリカ系の人びと、西部のサウソールなどはムンバイの下町さながらという風景です。外来民のなかでも多数派であるインド系の人びとは、さらにヒンドゥー、シークなど宗派別、南部インドのタミル系など地域別による集住も見られます。

我が同胞の方は、好景気時には駐在者だけでも五万人といわれ、北のゴルダースグリーンあたり、高級住宅街にユダヤ人とともにＪＪタウンと呼ばれるコミュニティを成していました。

ロンドン各所に散在する移民社会を、エスニック・コミュニティと総称し、インナーロンドンに限ってみれば、外来の人びとが人口の半数近くを占めるともいわれます。ロンドンに旅行した人の多くが、イギリスは白人の国ではなかったのですかという印象をもつのも当然でしょう。

ちなみに、二〇二二年に前任者ボリス・ジョンソン［一九六四―］に代わって首相となったリシ・スナク［一九八〇―］はインド移民の末裔です。

こうした状況は、しかし世界の大都市ならどこにでも見られるものです。世界がそれだけ移動自由になってきているということで、まさに時代の反映というほかありません。それなのに、なぜロンドンやこの国が特別な印象を持たれるのか。それは、逆説ながら、伝統と格式の国という基本的な思い込みがあるからです。そこが多民族を本質とするアメリカと違うところです。

じつに多様性と一元性が混在する社会、それがロンドンでありイギリスの社会と歴史なのです。

2 「Look East」

ロンドンで、ということはイギリスでいちばん人波の多い通りといえば、オックスフォード・ストリートとリージェント・ストリートをおいてほかにはないでしょう。くわえて、その二本の通りが交わる交差点ともなれば、四方から押し寄せる人の流れが膨大な淀みを生み出します。

この交差する部分をオックスフォード・サーカスといいますが、それは、四隅の建物の角が円形に削られているところに名残が見られます。別段、サーカスをやるためではなく、サークル状になった広場というほどの意味です。イギリス各所に見られるラウンド・アバウトよりはるかに小さな交差点です。とにかく、ここに集中するクルマと人の渋滞をどう調整するか、それが市の大きな課題になっていました。

その打開策として採り入れられたのがスクランブル方式。英語では'diagonal crossing'といいます。二〇〇九年一一月二日に供用が始まりました。そのお手本になったのが、なんと我が渋谷の駅前交差点というのですから、われわれとしては鼻が高い。なにしろ、外国人観光客が日本に行ったら見てみたい場所の筆頭が、渋谷のスクランブルだといわれているほどなのです。

とはいえ、ロンドンのほうは、施行開始以来、何年も経とうというのに、斜め横断ではなく、いまだに直進横断する人が多く、使い慣れていないのが歴然で、これには笑ってしまいます。

そういう眼で見ると、どうも日本の影響と思えるところがほかにも各所にあります。"Mind the Gap."これは、地下鉄ホームでよく耳にするアナウンスですが、当初はこの一語だったのが、近頃ではさまざまな放送が流れるようになりました。地下鉄が遅れたり休止になるのは日常茶飯事とはいえ、その告知放送も丁寧になり、なかには'excuse'の単語さえ。これは革命的なことです。車内放送も、多くは自動音声ですが、駅ごとに流れます。また、バスの車内放送もますます充実の度を増しています。これらのことは以前ならまったくなかった現象です。一説には、交通局の職員が日本旅行したさいに聞き覚えたのが参考になっているといいます。

かつてのイギリス旅行案内や紹介書には、イギリスでは発車ベルも車内放送もないから注意せよ。イギリス市民は各自が自覚を持って行動するからで、それに比べて日本では公共の場での指示音が溢れ、日本人の主体性に欠ける社会行動を助長しているからだと、イギリスを羨望し日本を卑下するように書かれていたものです。ところが、どうも事態は大きく変化しているようです。

イギリスは伝統の国という印象から、頑固一徹、守旧的な国のように思われていますが（確かにそういうところも）、もとより経験主義の母国ですから、良いものを採り入れるに吝かではないところが多々あります。世界は、いまや文化や習慣が入り乱れる時代。互いに良きところ悪しきところを見習い、改めるに柔軟でありたいものです。

＊スクランブルとはなかなかいい日本語？　ではないか。

3 「不味くないイギリス」

「イギリス料理は不味い！」と、こうひとまず振っておけば、こちらの味蕾感度はとりあえず正常だと、世界的には認められています。ただ、誰も不味い原因、理由を真剣に追求した例はない。とうのイギリス人自身が、もとより自分たちを卑下し、嗤うことがユーモア精神の基本だという人たちだから、原因追及には甚だ頼りにならない、のです。

たしかに不味いものがあることは事実。

あるとき、田舎町に一軒だけあった中華料理店（イギリス各地にあるマチ中華は、ほとんどtake awayの店。持ち帰り専門で、そこはテーブルもあり、設えも、いかにもの中国料理店だった）に入り、期待を込めて注文しました。ところが、そのマズいこと。とんでもない味つけ。帰りしな、厨房を覗くと、二人いた料理人はいずれも白人イギリス人でした。味覚中枢が失われていると断じたしだい。

ここでいう不味いは、つまり文字どおり味が不在だということ。味が、無い。

イギリス気触れであれば、いやかれらは素材本来がもつ感覚を大切にしているのですと相変わらずなのですが、そうではない。とにかく塩と胡椒しか味つけの仕方を知らない、これが当たりどころ。いくら素材が良くても、味つけを施さなければ、料理とはいわない、これものごとの道理でしょう。

ただ、ここにも大きな変化が起きています。

食料品売り場には夥しい種類の調味料や香辛料が溢れかえっています。むしろ、魔法の万能液体、醤油の虜になっている日本人とは大違いなのです。また、濃厚なクリーム、バターですべてを誤魔化してしまうフランス人とも。

それこそ肉、野菜、魚の素材の特性を生かしつつさまざまな調味料、ハーブで味つけ、添香する秘儀を学び取ったらしいのです。これを'Modern British'と称して、いまやイギリス各地に有名料理店が割拠するようになっているほど。シェフの有名人さえ出現しています。そして、隠し味に味噌や醤油さえ忍び込ませるようになっているとなれば、われわれとしても、こころ穏やかではいられなくなるというもの。

その背景には、日本の長寿社会とその秘訣が食生活にあると。そういう日本食の世界的な流行とともに、イギリス人も関心を寄せるようになったものと考えられます。なにしろ、できるだけ脂濃いものを避け、サッパリしたものを摂ろうとする意識が、とりわけミドルクラス以上の人びとに広がっている。

いまや、「ベジタリアン」やさらにラディカルな「ヴィーガン」が世界的に定着しつつある時代。

自然志向の強いイギリス人のあいだで、日本食はもてはやされるようになっています。

二〇一三年、日本料理が世界無形文化遺産に登録されました。日本人からすると、名誉とは思いながら、どことなく唐突感を抱くような向きがありますが、どうして、遺産登録はユネスコのたんなる思い違いじゃないのです。寿司の折詰は、いまやイギリスのコンビニでもごく当たり前に置かれています。生魚に怖気をふるっていた、あのイギリス人が上手に箸を使っているのです。いまに、Sushi が日本料理だと知らない人びとが出てくるかもしれません。

＊いまのイギリス料理は 'Organic' がキーワード

4　ロンドンの足回りは一六〇歳

"Mind the gap!" という駅の構内放送は、ロンドン人なら耳にタコができるくらい聞き慣れている注意の文句。先年、階級社会を揶揄するF・マウントのユーモア小説にも洒落ごころかタイトルに使われていました。まあ、それくらい誰もが頻繁に耳にするフレーズです。

ロンドンの地下鉄は、いうまでもなく、世界で最初一八六三年の開業ですから、かれこれ一六〇年の歴史をもっています。いまハマースミス&シティ線の一部（パディントンとファリンドンのあいだ）は開業当時のままですから、かなりな年季が入っている。この線、かつては都心を円環状にめぐる、サークルラインとなっていましたが、一九九〇年から運行方法が変わって、いまのようになりました。

とにかく、キッチリした性格とはあまり言い難いイギリス人のこと、プラットホームも途中に高低の段差があったり、カーブしていてS字のように曲がっていたりするところさえあります。そこで、車輛とホームとの隙間に注意しろという放送になるというわけ。

ロンドンの地下鉄

そのほかにも、老朽化なぞとうに通り過ぎたレトロな古い設備もあれば、新しいウェストミンスター駅など宇宙基地もかくやと思わせるところもあります。この、多様性というか、バラバラ感がホッとした気分にさせるから不思議です。

スパイ映画で、電車を待っていると後ろから黙って突き落とされる、というシーンがあります。ホームドアに慣れてきた身からすると、その記憶がよぎって、後ずさりすることも。ロンドンでもやはり飛び込み自殺があるようで、近年は増えているといいます。

新線では、ガッチリ強固なホームドアができていますが、古くからあるほとんどの路線では、増設の動きすら見られません。もとより狭い、圧迫感のある地下鉄ホームのこと、へりに立つのは恐怖感を催します。それと第三軌道といって、電気を取るレールがむき出しで見えるものですから、ホームから誤って落ちるだけでなく、アレに触って感電死するのじゃないかと一層の怖さが募ります。

ということもあってか、新しい線や駅ではホームドアが完備されるようになっています。これをイギリスではPEDs（Platform Edge Doors）とかPSDs（Platform Screen Doors）といいますが、どちらもただ構造物を表わしているようで、乗降客を保護しようという意識は薄いように感じます。それもそのはずで、設置の意図は空気の流れを調整するためとか。たしかに、地下鉄はtubeというくらいで円いトンネルのなかを円い車輌が走っていますから、空気の吸引が激しいのです。

とはいえ、古くからあるほとんどの路線では、日本でよく見られる、ホームドアの増設の動きはまったくない。エレベーター（イギリスではlift）を建設するなど皆無といっていい。弱者保護にはことのほか熱心なイギリスなのに、これは不思議。それも意識されているのか、路線地図にはわざわざ車いすのマークを載せています（ということは、マークのない駅には行くなということ）。

といいつつも、ひところに比べると、各所で改善、改良が少しずつ進み、とりわけ清潔になってきていることはたしか。狭い通路に排尿の悪臭が漂っていたのは昔話になりそうです。一六〇年の歴史と新世紀の斬新とが混在している、それがロンドンの地下鉄です。

5　ドックとロック

ロンドン市の心臓部、シティは世界的な金融の中心地といわれます。各国の銀行、証券、保険など金融機関がここに支店や出先を置いて、二十四時間、世界各地と情報のやり取りをしている。その意味で、多様な世界情勢を一手に集約する場所といえるでしょう。もちろん、これも昨日今日にわかに成ったわけではなく、数百年の蓄積があってのことです。その原形、痕跡ともいえるところがこの東の方に広がっています。

ロンドンは海に面していないにもかかわらず、国内きっての貿易港でした。海からテムズ河を遡った川港だったのです。イギリスは平坦な大地同様に海岸も緩やかに傾斜している、いわゆる遠浅の海。それだけに、潮の干満も大きいのです。各地の漁港へ行くと、干潮時には漁船が陸に上がった鯨のように、ゴロゴロと横倒しに干上がっている光景がよく見られます。ロンドンも内陸ではありますが、この潮位の影響を大きく受けます。その高低差は平均で八メートルにもなります。

それゆえ、異国から船腹満載で戻って来た船の荷役も直接埠頭に着岸しておこなうことは難しい。

なにしろ数時間のうちに何メートルも上下するのですから。そこで考え出されたのがドック。満潮のときに船をドックに入れ、しっかりと門を閉める。この門のことを閘門 'lock' といいます（しっかり閉めるという意味で「鍵」のロックと同語源）。こうすれば、潮位の変化にかかわらずらくに荷役ができる仕掛け。

ちなみに、われわれがドックといわれて想像する、船の建造や改修に使われるドックは、もちろん水を抜いて使用しますから、「乾ドック dry dock」といいます。

ロンドン東部には、いまでは使われなくなったドックがあちこちにあります。ドックの由来を知らないと、巨大なプールが何ヵ所も点在しているように見えますが、これもいわば近代の産業遺産です。かつてロンドンに留学した夏目漱石は、友人の送迎などで何度かここを訪れています。『倫敦日記』には 'Albert Dock' といった名称が見られます。かれ自身、一九〇二年一二月五日、およそ二年間の留学を終え日本郵船の博多丸で帰国の途に着きましたが、ここのドックから船出したのでした（来英のさいはフランスからドーバー海峡を渡ったようです）。

各所に掘削されたドックは、まさにイギリスの海外貿易を支えた物証といえるものです。世界各地から多彩に運び込まれる物資がイギリスの産業そして生活を多様なものにしたことは当然でしょう。その代表格の紅茶、なにしろ茶ノ木はこの国に生育できる植物ではないわけで、一〇〇％海外から入ったもの。紅茶につきものの砂糖もアメリカ大陸から運ばれました。おなじように、産業革命を主導した綿織物の原材料である綿花もすべて輸入でした。近代イギリス人の生活は輸入品によって支えられていたのです。

そして斜陽とともに打ち捨てられていたこの地域が、いまやウォータ・フロントとして再開発されて、高層ビルの立ち並ぶ斬新な街並みに大変身を遂げました。イースト・ロンドンのドックランドといえば、暗くうらぶれた、人の寄りつかない地域というイメージでしたが、いまでは斬新な明るい一帯と思われています。

老大国いまもってなお意気軒昂、老いてますますお盛んといったところでしょうか。

＊ロックはイギリス各地の運河で見られます。

6　カオス　多様・性の姿

ロンドンの繁華街、ウエスト・エンドのなかにOld Compton Streetがあります。レストランやパブ、カフェが並ぶごくふつうの通り。夜になって一段と賑わいの喧騒が増してくるのもふつう。だが、パブの店先をよく見ると、男同士の立ち話する光景がどの店にもあふれている。それは目にすると、いささか異様。それもそのはず、ここはゲイの人びとが集まるので有名な通りなのです。

ロンドンの多様性を語るうえで、人間関係の複雑さを落とすわけにはいきません。人と人との関係、それも愛し合う者同士の結びつきが、もはや男と女だけに固定される時代は過去のものになっています。いや、前提となるオトコ／オンナの定義そのものが遺物になりつつあります。

ＬＧＢＴＱ＋という言葉があります。日本でも、ようやく市民権を獲得し、一般の認知度も増しています。Lesbian, Gay, Bisexual, Transgender, Questioning / Queerの頭文字を取った語だとはご存知でしょう。それぞれの意味は「女性同性愛者」「男性同性愛者」「両性愛者」「性自認不一致」「性自認不確定」といったところでしょうか。

四番目の名称は、かつて「性同一性障害」と病症名にされていましたが、けっして治療対象の病気ではないと認識されるようになりました。また、「性自認不確定」と仮訳をつけましたが、いまだこなれた訳語がなく、「クエスチョニング」と音訳している現状です。Queerも以前は「奇態な」「変態」と軽蔑語にされていましたが、いまではそのような意味は薄れています。

いずれにしろ、これらは「性的マイノリティ」と一括りにされていますが、その呼称そのものも、多数者正義の匂いが芬々で、いずれ再考されてゆくでしょう。社会が考えるべき問題は、少数者かどうかではないはずですから。

それと、前三者はもっぱら「性愛」、他者・性へのかかわり方を含んでいますが、後者はひとえに自分自身の性の在り方を指しているわけで、これも、分けて考える必要もあります。

ともかく、性的志向（嗜好）、認識においては、いまやオトコ／オンナを分け隔てるものはないという理念が共通項です。その底には、男性／女性だけという性の二大区分には根拠がないという思想があります。

作家オスカー・ワイルドの例を思い出すと、かつて同性愛は犯罪でした。社会的な差別、蔑みが隅々にあったこともその背景にあります。しかし、いまではそれも昔日の出来事です（もちろん個人的な好悪感は別です）。二〇一三年には'Same Sex Marriage'「同性婚」認知の法案も議会を通りました。これから、男／女それぞれの同性カップルが次々と生まれてくるでしょう。結婚が異性同士だけのものという考えが薄らいでくることは間違いありません。

さらに、そうした同性の両親を持つ子どもも増えてくるでしょう。母親、父親がいて子どもがいるという家庭像も昔話になってしまうかもしれません。もちろん、いまはその過渡期のとば口ですから、それを奇異に感じたり、異常なことと差別したりすることも起きるでしょう。でも、愛のかたちにせよ、婚姻にせよ、そして家族のかたちにせよ、どうやら時代は混沌（カオス）の度合いを深めていくことは確実なようです。イギリスはここでも世界の先を走っています。

むしろイギリス人は、この混沌を多様な自由の在り方として楽しんでいるようにすら見受けられます。

7　イギリスの雨　The Rain in Britain Stays Mainly Everywhere.

イギリスの一日には四季があると、これはよくいわれる諺。一点の雲もない紺碧の晴天と思っていたら、にわかに暗雲が覆ってきて、篠突く雨。このまま長雨かというと、ほどなく、それもピタリと止み、またたく間に碧空。そして、仕上げは低く垂れこめる曇りと。しかも、気温が上がったり下がったり。こういう一日が、いわば一年中続くのですから、諺にもなろうというもの。

日常会話の開口一番はなんといっても天気の話。この点は日本もおなじ、ではあるけれど、イギリスの場合はかなり違っている。ドン曇りの日に、「今日の空は……まあ、悪くはないね」と、達観なのか諦観なのか、とにかく素直ではない。聞いた方も、もちろん、反抗などはせず、「まったくね」と口を曲げながら応ずると。この、阿吽の呼吸こそが、イギリス人のユーモアというのでしょう。それくらい、イギリス人は自国の気候風土に辟易しているのです。

ヨーロッパのなかにあって、比較的に雨の降りやすいお国柄。傘を広く普及させたかれらが、じつは傘を持ち歩かず、降っても差そうとしないのは、なんのことはない、単純にすぐ止むからにほかなりません（開いたり閉じたりが、面倒臭さがりのかれらには耐えられないのだという別解あり。それに、濡れてもすぐに乾くし）。

もとより内気、控え目で、恥ずかしがり屋のかれらのこと、多様に変化するお天気話は、恰好の糸口ということでしょう。パブなどで、見知らぬ他人同士が空模様から話が通じ合うことはごくふつうの風景。だからといって、それで関係が深まるというハナシはあまり聞かない。ようするに、天気は一期一会にはうってつけの話柄ということのようです。

ことに冬空の変わりやすさは、寒さと暗さと多雨も加わって、一段と人びとの気持ちを打ちひしがせることになります。日本では夏に洪水が起こりますが、イギリスでは各地に浸水が発生するのは冬と決まっています。ただでさえ、家の中に籠りがちになる冬、人びとは何とかそれをやり過ごそうと耐え忍ぶのです。これに慣れない外来の定住者が鬱を発症する。秋から冬にかけての時期は要注意なのです。

'Stiff upper lip.' という言葉があります。「上唇を引き締める」がそのままの意味。どうも、人間は気が緩むと上唇がだらけるようで（日本では「鼻の下を伸ばす」という表現も）、気を取り直すには口を真一文字にすることになると。そこから転じて、「不屈の精神」と訳すこともあります。これはイギリス人が危機にあたったときのモットーとしてよく使われる決まり文句になっています。かれらの心性のひとつに「我慢強さ」を挙げる場合がありますが、それとも繋がっているような気がします。

そして、それもこれも、あの変わりやすい天気と長く続く冬の暗さと、それらが大きく影響していると思えてなりません。日本人が、ときに襲ってくる大地震により営々と築いた財物・財貨が一気に塵芥に帰することで、底深い無常観を養ったのなら、一方、イギリス人の粘り強さは不順で多様な気候風土ゆえといってよいでしょう。

＊近年の地球温暖化は、イギリスでも豪雨、洪水が季節を問わず起こるようになっています。

8 クラス・ソサエティー

イギリスの人気TV番組に'Goggle Box'というのがあります。民放のチャンネル4で、二〇一三年三月から始まった、いわゆるリアリティ・テレビ。いくつもの家庭（中年夫婦、中高生三人と両親、三〇代の女性カップル、同じく男性カップル、インド系の家族など）が登場し、それらが居間で寛ぎながら同じ番組を視聴し、その様子の映像をただ流すだけという単純な作りです。つまり、おなじものを見ながら、どこで、どういう風に反応するのか、逆に観察するというわけです。こういう形式を「双方向プログラム」ともいいます。ちなみに、番組タイトルは「テレビ受像機」を表わすイギリスの俗語です。

この手の内容は、わたしのようなイギリス・ウォッチャーにはこの上もなく格好の研究材料になる。視聴者の反応をモニタリングし、視聴率として数値化したり意見聴取したりすることはどこでもやっていますが、反応そのものを映像化し、番組として作り上げてしまうところに特徴がありまず。そして、こういう番組が長生きし、また人気を得ているところにこそ、イギリス社会の特徴がよく表われているのです。

イギリスははっきりいって階級社会です。新聞や雑誌を開き、街の風景を撮った写真に映る人びとの、とりわけそれぞれの階級を、たいていの人は苦もなくいいあてます。とにかく、服装、髪型から始まって住む家、通り、嗜好品、立居振舞、箸の上げ下げ、いやナイフやフォークの使い方、すべてが階級を表す指標。右にあげた番組も、ですから、それぞれの階級を如実に示す反応が出ているというわけです。ということは、イギリス人は、そういう階級の区分をけっして嫌がっているのではなくて、むしろ楽しんでしまっているということなのです。人を笑い、みずからを笑う、これイングリッシュ・ユーモアの精神そのものです。

イギリス社会が自由なのは、一見矛盾するようですが、その階級制にあるような気がします。つまり誰もが自分の居場所をもっているということです。もちろん近代社会ですから、能力のあるものには上向の道が開かれていますし、あくせくしたくないものにもそれぞれ落ち着ける場所があるということ。競争を選択するもの、しないものどちらにも居易い社会なのです。

イギリス社会の多様性を決定づけている主たる要因こそ、この階級制にほかなりません。新たに流入してくる移民の人びとにも、下層の労働者クラスではありますが、収まるべき階層があります。そして、それぞれのクラスが自分の存在を卑下することなく、自他ともに認めあうことができる。そこにこそ多様な姿が顕われるのです。

ちなみに、イギリスでは、「アッパー」「アッパー・ミドル」「ミドル・ミドル」「ロウアー・ミドル」そして「ワーキング」と大まかに分かれて意識されています。意識といったのは、なにも法的な適宜や規則があるわけではなく、人びとの意識のなかでという含みです。ただし、それを裏づける指標はすでに挙げたとおりです。そして、そのなかになかった項目が言葉です。

とりわけ、話し言葉には「RP = Received Pronunciation（容認発音）」という王室や放送、エリート教育などで使われる話し言葉があります。これを「正統」とし、他を地域や階級による「訛り」と区分けする論調がありますが、それはいささか時代遅れ、もしくは悪い冗談といえましょう。なにが正統で異端か、そこには排除と序列の感覚が見え隠れしていて、多様化の時代にはそぐわないこと、明らかです。

9　英語・多様性の源泉

ロンドンの果物屋でのこと。'satsuma' と売り札にあったので、何だろうと訊いてみると、出てきたのはわれわれにはお馴染みの温州ミカン。あとで調べてみると、幕末から維新にかけて、イギリスともっとも縁の深かったのが薩摩で、現在もさかんに日本から輸入されているとのこと。この語、辞書にもちゃんと載っていて、普通の語彙として認識されています。そのほか果物なら、'kaki' などもも加えてよい。

最近は日本食への関心の高まりとともに、'washoku' 関連の語が怒涛のごとく英語に入りつつあります。ついでなので、英語の常用語として認知されている和食関連の語を挙げてみると。'sushi' 'tempura' 'shoyu' 'sashimi' 'tofu' 'miso' 'bento' 'wasabi' などなど。

ことほどさようにというか、英語という言語のもつ吸収力の強さ、貪欲さこそがイギリスの多様性の源泉ではないかと思えるほどです。

その原因は英語という言語の成り立ちそのものにあります。ブリテン島の先住民はケルト系の人びとでしたが、四世紀に入ってきたゲルマン系のアングロ・サクソン族によって、英語の根幹ができます。いわゆる「'Old English'（古英語）」ですね。その後、十一世紀に新たな統治者として襲来したノルマン人（Norman）。かれらは、文字どおり「北の人」。元をただせば北欧のヴァイキングですが、北フランスに定着し、すっかりラテン・フランス系に染まっており、かれらの支配により英語は新たな要素を付け加えました。これが「'Middle English'（中期英語）」と呼ばれる時代です。

じつに、十七世紀にいたるまで、公文書などはラテン語、フランス語で書かれていたのです。長らくフランス語は上流階級の言葉であり、さらに、この時代のヨーロッパでは、国際語、教養人の共通語はラテン語でした。英語はせいぜい地域の日常語、下卑た庶民の言葉にすぎなかったのです。たとえば、牛は'cow'（ゲルマン由来）ですが、牛肉になると'beef'（フランス由来）となり、前者は牛を飼う農民の言葉、後者はそれを食す貴賓の言葉と、明らかに階級の違いが表れています。

そして、ルネサンスを経てギリシャ由来の学術語が加わったり、大航海時代を経てイギリスが世界に雄飛するに伴い、非ヨーロッパ圏からの流入語が飛躍的に増大したりします。ウルドゥ語源の'khaki'やヒンディ語源の'shampoo'、じつは'tea'も元は中国語からの借入語でした。

そもそも、この島に先住していたケルト系の言語はほとんど痕跡を残していません。あとから入ってきたアングロ・サクソン系の人びとが完膚なきまでに圧倒した結果でしょう。そして、大陸から渡ってきたさまざまな言葉の混成言語であった英語が、世界に広がるにしたがって、それぞれの土地の言葉を旺盛に吸収していったわけです。

英語の辞書は、世界でも群を抜く語彙数だといわれます。これは語彙を創造する力というよりは、包容力や柔軟性の結果いえるでしょう。これこそが英語の多様性を示すひとつの証しです。さらに、おなじ英語を国語とするアメリカの出現により、十九世紀から二十世紀にかけ世界政治の力学も与って、英語という言語そのものが現代の世界語となりました。英語帝国主義ともいわれますが、その中身はけっして一様ではありません。イギリス、一国だけ見ても、じつにさまざまな英語が飛び交っています。人種と階級と、複雑さ多様さはかつてないほど深さを増しているように見えます。

10 多様化のなかの奇貨

イギリスの道路は舗装率一〇〇％と、公式にはいわれています。たしかにどこを走っても、轍のへこみや段差もなく完璧な舗装が施されているように見えます。でも、山間部などに行くと砂利道もあったりして……。曰く、そういう道は道路と呼ばないのだと。

これと似たことが馬の世界にもあります。

馬は世界に何千種と棲息しており、日本にも木曾馬や道産子、南部馬のように固有種があります。可愛さがウリのポニーも、小さいながら子どもの馬ではなく、れっきとしたひとつの馬種です。そういう数ある馬の種類のなかで、もっともよく知られているのはやはりサラブレッドでしょうか。それは競馬が世間でよく知られていることと無関係ではありません。

サラブレッドは人間の創り上げた芸術品といわれることがあります。つまり、神の御業ならぬ人間の配剤によって生み出された馬種だということです。ＤＮＡの操作に慣れきった現代人は、人工配合が遠い昔からおこなわれていたんだと感心するかもしれません。しかし、さにあらず、経済動物という非情にも呼ばれるこの馬種でも、試験管などを使った人為的交配だけはご法度です。歴世の繁殖家はもとより、多くの関係者、ファンは時代と空間を越えた夢の掛け合わせをあれこれ妄想したことでしょう。でも、この三百年間、それは手を付けてならないこととされてきたのです。堅く守られてきた絶対的な禁則です。

サラブレッド（Thoroughbred）が生まれたのは十八世紀初頭。といっても、はじめから今日のような状況を予測していたわけではありません。いわば後知恵で、歴史を遡ったら、そこに辿りついたというのが実態。わずか三頭がアダムのようにいわれ、さらにそのうちの一頭が現存の九十数%を子孫に持つのですから、あまりの偏りようです。三百年は越えようかという連綿と続く血統の流れを支えているのは、なんと継続的に出版される書物『競走馬血統書（*General Stud-book*）』（一七九二年創刊）なのです。この書物は、いわばサラブレッドの戸籍台帳で、その故事来歴が記載されているという権威ある記録簿となっています。

サラブレッドの規定には、六代遡って、切れ目なくこの本にその先祖が記載されていなければならないとあります。つまり、‘thorough’とは血の連続性という生理よりは、血統書に記載されているという文字列のことをいっているわけです。「馬は馬でも血統書になければ馬とは呼ばない」のでありますね。

サラブレッドの歴史は、勝てること速く走れることをひたすら目指し、血の純粋化を深めてきました。これは、いまなら忌避される、まさに「優生学」の思想で、速くスタミナのある走りを示す馬こそが優生で、ようするにレースで勝てない馬は劣勢と判断され、歴史上から消えていく運命となる。敗者は、現役を退いても種牡馬となれないばかりか、その先代もしだいに繁殖に供されなくなる。勝てなければ子孫が遺せない。じつに厳しい世界なのです。

その一方で、優秀と判断された血筋には、ますます多くの繁殖牝馬があてがわれ、血の一貫性が保たれる。その偏りは、前述のとおり。血統の持続が偏頗な寡占をもたらしているのは、何とも皮肉なことではあります。

とはいえ、さまざまな場面で、多様化が確実に進む現代の世界的な趨勢にあって、この純血という持続はむしろ、貴重な存在になっていくかもしれません。

11　パワー・ステーション

'scrap and build' が経済や社会の発展を象徴すると考えられてきました。棄てられたものはさっさと片づけられ、新しいものにとって代わられると。廃されたものがそのまま残れば、それは「廃墟」ということになります。

イギリスには、修道院や教会の廃墟が各地にあります。英語では 'ruin' といいます。十六世紀の宗教改革まで遡るのですから、四百年以上放っておかれたことになります。建て替えるという世知辛いところもなく、それ自体を売りにする名所旧跡にさえなっているところもあります。これも、ある種の豊かさや余裕の現れなのかもしれません。

ロンドン市内にも廃墟があります。こちらは、産業遺産。市内中心部、テムズ河南岸に赤レンガの巨大なビルがあります。一九五二年、有名な建築家ギルバート・スコットの設計により建造された火力発電所です。ちょうどセント・ポール寺院の対岸にあたるところで、一九八一年に放棄されてからは、まあ、いわば大都市のなかで目障りな存在になっていました。それが、ミレニアムを期

ロンドン市内に点在する赤い電話ボックス

して見事に復活。いまでは年間四七〇万人を引きつける現代美術の殿堂‘Tate Modern’に大変身しています。上流のピムリコにある‘Tate Britain’の分館のような位置づけです（ちなみに、これらの他にも、‘Tate Liverpool’と‘Tate St Ives’の二館がそれぞれの地域にあり、総じて‘Tate Family’といわれています）。

河畔の美術館といえば、パリの‘Orsay’がありますが、あちらは駅舎からの転身。一九八六年の開館ですから、大いに見習ったことは間違いないでしょう。どちらも、外観は旧態鬱蒼としたものではありますが、寄り集まる人びとの息吹が内部の生気を取り戻させました。古色蒼然とした外衣に現代アートという混淆性（hybridity）がなんとも現代的ではありませんか。

ロンドン市内にはもう一つ火力発電所がありました。こちら、バタシー発電所もスコット（れいの赤い電話ボックスを作った人）が設計し、一九二九年に着工以来、十数年かかって一九四一年に完工、操業を開始しました。ロック・グループ「ピンク・フロイド」のアルバム『Animals』（一九七七年）のジャケット写真といえば、おわかりになるでしょう。四本の真っ白い煙突が赤レンガの巨大な建物の上にそびえたつ、あの光景です。ビートルズの映画『Help』にも出てきました。

こちらの火力発電所も、やはり一九八三年に操業停止になり、以来、三十年以上広大な敷地ともども、その巨大な建造物が風雪に耐えて捨て置かれてきました。産業遺構となっていたわけです。大都市の真ん中に廃墟が、それも何十年も老躯を晒していたことになります。日本では考えられない。

それが、ようやく再建計画もまとまり、住宅や商業施設などの複合総合開発が二〇二二年に完成。その前年の九月には、地下鉄（Northern Line）の支線が開通。都内各所からのアクセスも容易になりました。出来上がった全体の様子は各種商業店舗、居住地区（超高額）、飲食街、劇場娯楽施設と多彩で、これらがすべて巨大な工場建物と周囲に収まっている。かつての廃墟を知るものからすると、まさに目を疑うような大変貌です。なにごとにつけ時間の進み方が遅い、悠揚迫らぬイギリスですが、重い腰が上がるとなると、やるときはやるといった印象です。

12 北国の異変

イギリス料理は不味いという世界的な定評と同じに、旧くからのイギリス評がほかにもあります。「イギリスではワインができない」。

かれらは、ワインをよく飲みますが、それは専ら舶来物に頼っていました。クラレットという芳醇な赤ワインは、フランス西部ボルドウ周辺で生まれたものを指しますが、中世、このあたりはイギリスの領地。その争奪をめぐる戦いが、かの「百年戦争」でした。一三三七年から一四五三年にかけてのことです。その最後には、ジャンヌ・ダルクが現れたことでも有名です。

たしかに、イギリスはヨーロッパでも北方に位置し、ブドウ栽培の北限を越えたところにあります。地質からいえば、全国的に石灰質の大地ですから、ブドウ生育に適しているはず。とはいうものの、気温もさりながら日照が足らないといわれてきました。ところがです、そのイギリス南部地帯、ケント地方を中心に、いまではブドウ畑が広がり、そこで産するワインもかなり上質。評価も年々高まっています。

ほかにイギリスといって有名なのはEnglish tea。一日に五杯は飲むといわれる紅茶の国ですが、そもそもが一〇〇%輸入でした。他国からすべて入っているのに自国の名前をつけ、しかもまた輸出してゆくと。なんとも、考えようによっては唖然とするところでしょう。でも、イギリスでお茶が流行るようになって、世界中に広まったという皮肉な歴史も、また事実です。Afternoon teaなどという(じつは今や観光客しかやらない)独特な形式さえ伝統化しました。

その、イギリスでは生育しないとされてきた茶木も、いまや栽培されるようになっているのです。南部、コンウォル地方で、まだまだ小規模ではありますが徐々に栽培面積を広げつつあります。当然、それから採れる茶葉で紅茶が作られていることはいうまでもありません。緑茶にも製法を広げる人もいます。なにしろ、オーガニックやエコロジー、グリーン・コンシューマーが現下のイギリスにおいては、もっとも関心を集める流行りの理念。紅茶も、オーガニックと冠につくと、一気に価値が上がり、値段も上昇する。まして、国内でできたものとなれば、ほまれは否が応でも高まろうというものでしょう。

ブドウにしても茶木にしても、かつては考えられなかった、北国イギリスで作られるようになる。これすなわち、地球温暖化の賜物というほかないでしょう。ワインや紅茶が自国産になる、それを喜んでいいものやら、地球危機を恐れたらいいのか、イギリス人自身も迷うところでしょう。

たぶん、ことはそれだけに限らない。これからも、北限のラインが北上して、思わぬものが採れるようになるかもしれません。ＥＵ離脱後も、南ヨーロッパから入ってくる青果物に、価格の変動はあっても種類の変化は見られない。ところが、産地表示に国内産が増えるようになることは間違いありません。生育の可能性と輸送コスパを考えれば、その方が良いに決まっています。

とはいえ、冬のロンドン、三時には早くも暗くなるし、夏には一〇時を過ぎても明るいと。やはりイギリスは北国なのです。

13 サンドウィッチ――イギリスだからこそ

日本は世界で獲れるマグロの約半分を、わずか一国で消費するらしい。それは、マグロにとどまらず、あらゆる魚種にわたっていることだともいわれています。これをあまりにもいいすぎて、世界の人びとが獣肉ばかり食っていて、魚をいっさい口にしないと思っている節もある。内陸の国ならまだしも、海岸線をもつ国なら漁民はかならずいるわけですし、とうぜん、魚が食料になっていると思うのはあたりまえなのですが。

ヨーロッパでも、地中海沿岸の各国では魚をよく食するし、北方でも、魚はけっして珍しい食材ではありません。ノルウェイなど、その筆頭でしょう。あるとき、ドイツ内陸の奥深い街で、酢漬けのニシンをパンにはさんで売っているファーストフードの店に出会い、いささかびっくりしたことがあります。パンにはさむものといえば、キュウリやレタスの野菜類とかハム、ソーセージ、チーズくらいしか経験のなかったころでかなりの意外感でした。

パンが米とおなじ主食かというはなしには、いろいろ意見の分かれるところがあります。けれど、パンに副食物を挟んで一緒に口へ放り込むという光景は、丼物を考えれば、おなじ構図だと納得がいく。パンも飯もそれぞれ麦と米を原料（しかも、両方イネ科）とする炭水化物で、糖質を多く含むから、どんな副食物を添えても、味覚的にはよく合う。それにしても、飯のうえになにかを載せたり、なにかを包んで握ったりする知恵と、パンになにかを挟むという発想とは、どちらも慧眼というほかない。口や胃袋に入ったらすべて一緒になるさというのとは異なる文化観がそこにはあります。

それにしても、米飯には包み込んだり載せたりすることはあっても、パンには載せるということはない。ピザは具材を載せていてもオーブンで焼くあいだに生地と一体化しているとみてよい。やはり、なんといっても、挟むというのが材料学としてのパンの機能に適合しているわけです。いまや、世界各地、その土地ならではのパンにあらゆるものが挟み込まれている。とはいえ、その嚆矢は、どうしてもイギリス生まれのサンドウィッチに指を立てなくてはならないでしょう。

考えついたのは第四代サンドウィッチ伯ジョン・モンタギュ［一七一八–九二］氏で、カードゲームに熱中するあまり、食事の時間と手間も鬱陶しく、手近にあったパンに皿のモノを挟んだという。よくある創案話には眉唾物が多いけれど、これはどうも真実らしい。コロンブスの卵ではありませんが、その、革命的意図などない創意の瞬間が思い浮かぶようです。一説によると、執事に残り物のローストビーフとパンを持ってこさせてゲームを続けたという。

しかし、そのためには一つ重要な前提があることに思いを馳せたい。

いまでこそ、いろいろなパンにいろいろなモノを挟むようになっていますが、ハンバーガにしろホットドッグにしろ、あるいはケバブにしろバインミーにしろ、はたまたバゲット、ベーグルにしろクロワッサンにしろ、どのパンも片手では完成品を制作できない。ものによっては、片手では口に持って行くことさえかなわない。つまり、パンを両手で引き裂くか、包丁様の刃物で切り裂くかしてパンを押し開き、そこに食材を押し込むか挟み込むかしなくてはならないのです。これでは、片手にカードを持ちつつ、調製、調味するという技芸は不可能である。

おあつらえ向きというか、カードゲームは、片手でカードを持ちつつ、カードを引いたり投げたりするゲーム。カードを手に持つのは、いうまでもなく他のプレーヤーから手札の秘密を守るためであり、手札のなかからカードを引き抜いたり、加えたりするのは、片手はカードを持っているのだから、もう一方の手仕事ということになりましょう。カード操作の仕事がないときには、文字どおり手持ち無沙汰となる仕儀で、調理の作業にはうってつけなのです。

サンドウィッチといってすぐに思いつくのは、キュウリやタマゴ、ハムが白い薄切りのパンに挟まれた姿です。あれに使われるパンは、日本で「食パン」といわれている、角形のパン。業界用語では、「箱詰パン」あるいは「型詰パン」といって、世界的には珍しい金属製の箱型に生地を入れて窯焼きするパン。日本でこれを「食パン」などと一般名詞のような言い方をするのは、明治期、菓子パン様の方が先手で、飾りも素っ気もないひたすら食事用のみに造られた後発のパンだったから。ちなみに、世界広しといえど、この形のパンはイギリス発祥だけ。一片が丸くなったのを「イギリスパン」などともいう（もっとも、かの地で、'English bread' などといっても笑われます）。

しかも、この食パン、あれを丸かじりする人はいない道理で、厚切り、薄切りスライスして食するのが自然な食べ方。そして、イギリスでは、食事時とりわけ朝食時にこの一片をトーストして食卓に供する（思えば、「トースト」という言葉も、食パン麺麭に必須の用語ではありません）。トースト用のスライスといっても、日本の六枚切りや八枚切りではなく、ましてや四枚切りなど言語道断もってのほか、一〇ミリほどの厚さ／薄さを適切としています。ほとんどクラッカーの触感を好みとしているのです。日本のソフトタッチを売り物にする食パンは、ほっくり炊き立てご飯をパンに求めていることになる。

くわえて、かれらイギリス人は、このスライスを食べるときに切り分けるのではなく、パン製造元のところでスライスして売られているのが通例。街の自家製パン屋でも、買い求めるときにはスライサーにかけてもらってから手に入れる。つまり、家庭にある食パンは、つまりあらかじめスライスしてあるのが普通の光景なのです。かくして、パンになにかを載せ、さらに別の一片をその上から覆うと、すなわちサンドウィッチの完成なのであります。

イギリス人にとってのサンドウィッチは、日本人のおにぎりくらいの位置づけ。とにかくどこにでも売っているし、どこででも食べられます。四角い食パンを斜め対角線で切り、その断面をそろえてプラスティックの三角容器で売っています。スーパー、コンビニはもとより駅売店にも置いているし、街のタバコ屋然とした小さなスタンドでも売っています。しかも、ほとんどが周りの耳つきのまま。パンの耳を嫌がらないのもイギリス人の特徴でしょう。ちなみに、英語ではこの部分を'crust'といい、パンの周りの外皮全般を指します。また、なぜ日本でそれを「耳」というかといえば、平たいモノのへり、ふち、はじを一般にミミというところからきています。ということは、スライスした食パンのことがその根底にあるということで日本独特な名づけであることは間違いありません。

とまれ、三題噺めいた話になりましたが、カードゲーム好きの伯爵とスライス食パンの存在と、これらが組み合わさることで生み出された食品、それがサンドウィッチ。まさにイギリスでなければ世に現れなかった食い物だということです。

14 ダンディー？

ロンドンで人のよく集まる場所は狭い範囲のなかにあります。東京のように、銀座あり、新宿、渋谷、池袋ありと隔たったところに拡散してはいません。その中心がウエスト・エンドといわれる一角。端から端までまっすぐ歩いても一時間もあればヘリに到達するほど。

その中心点のひとつがオックスフォード・ストリートとリージェント・ストリートの交差する、オックスフォード・サーカス。おそらくイギリスでいちばん、人の横断する交差点でしょう。人並みとの流れに苦慮し続けた市当局が取り入れたのは、クロスして斜め横断するスクランブル方式。そのお手本になったのが東京は渋谷駅前の大交差点でした。本邦のあれは、世界的にすこぶる有名で、来日する外国人が必見の目標地にしているほど。そして、かならずや驚く。なぜかなら、どうして四方八方からくる人たちがぶつからずに交差できるのかと。ベトナムやタイだって、バイクのあいだを上手に通って横断できるのに。

オックスフォード・ストリートは東西二キロほどの直線道路で、ここに一軒の隙もなくさまざまな建物が並んでいます。それと南北に交差するリージェント・ストリートは、やや格の高い店が軒を連ねていて、その南端が、世界でも珍しい曲線状になったビルが並んで、ピカディリー・サーカスへと流れ込む。

サーカスといっても曲芸をする場所ではなく、いや古代ローマではそういう見世物をする場所のことを指したわけですが、英語ではたんなる広場を意味する一角です。ロンドンを紹介する写真、映像にはかならず登場する巨大な電飾広告、それがビル壁の一面を飾っているのがこの広場である。

ピカディリー・サーカス

かつては、日本企業の派手な電飾が広場を見下ろしていましたが、それは昔日の話。

この広場から東へレスター・スクェア、さらにコヴェント・ガーデンへと続く街路が、地球のいたるところからやってきた人びとで埋め尽くされる。暑い日も寒い夜も、雨が降ろうが木枯らしが吹こうが、季節時候をとわない。その多国籍ぶりは、たぶん、ニュー・ヨークもパリも、いわんや東京などおよびもつかないでしょう。

このピカディリー・サーカスから西にのびる通りがピカディリー（ロンドンにいくつかある、ロードやアベニューなどの語がつかない通りのひとつ）。世界でもっとも格調が高いとされるリッツ・ホテルや、日本人御用達のフォートナム&メイソンの店もこの通りにある。そして、その一本南側にひっそりとたたずむ小路があります。ジャーミン・ストリートです。

一方通行の、わずか二五〇メートルほどの狭い通りなのですが、ここには一軒の隙なく男性向け商品を扱う店が並んでいます。日本でも知られている銘柄店もあれば、イギリス人ですら知る人ぞ知るという店も。スーツ、ネクタイはもとより、ワイシャツだけに特化した店、帽子、ステッキ、香水、はては髭剃り用品だけを扱う店が四軒もあるという具合。

世の中なにごとも男女平等といいながら、消費生活においては圧倒的に女性優位。世界どこも、大型店舗ではほとんどが女性を対象にした売り場構成で、男性物はせいぜいワンフロアを占める程度ですんでしまう。もちろんイギリスでも、これと同様ではあるけれど、街の一角、一つの通りが男性専科で、しかも競合店が併存するというのは特異な光景というほかありません。ここに連れていった日本人の友人は、「イギリスはオトコ社会なんだな」の感嘆を漏らしました。さらにくわえて一言、「イギリスの男たちはお洒落だ」と。

日本には、身の回りに気を払うオトコは、柔弱、気概気骨に乏しいという自然主義があります。弊衣破帽を善しとする旧制高校の伝統も、襤褸は着ていても心は錦という武士道的精神主義もその流れのなかにあるでしょう。ダンディズムの「男振り」は、それを否定するものではなく、むしろそれらをも含む男性性を表すものです。とかく外見にこだわりを持つ人間は浮薄で精神の充実に稀薄であるとする見方がありますが、それは誤解でしかない。かえって、精神の浅薄を弊衣で糊塗しようというこけおどしこそ見抜かなくてはならないでしょう。ようは内と外のバランス。

イギリスには、風変りな人間（eccentrics）を容認、称揚するという気風があります。風変りというのは、普通でない、変わっているという意味で創造的だともいえる。日本では、他人様と違っているということを忌み嫌い、ひたすらに右倣えを押しつけようとします。逆にいうと、他人と同じでいれば、他人を安心させることができ、自らもよけいなことを考えなくて済むわけで、それこそ非創造的といわざるをえません。いわゆる同調圧力に弱い。ブランドのバッグひとつ提げて出れば、何を抱えて行こうかとことさら思い悩まなくて済む道理がここにあります。

エキセントリックな人間を認める一方で、定型どおりのダークスーツに身を包むというのがイギリスの「男伊達」。週末だからといって、明色のジャケット姿で職場に現れる人間はほとんどいない。嘲笑、憐憫の好い標的に。職場への定番はスーツと決まっているのです。ただし、そのスーツも、細かいところへの気配り、深慮は怠らない。なかでも裏地に趣味、嗜好を反映させるという念の入った人も。日本ではついぞ見かけない金色や真紅の裏地を配することさえあります。裏地など通常は見えるものではありませんが、たいがいのイギリス人は執務中、上着を脱ぐのでそのときにはあからさまになりますし、歩行中も、風にあおられて前身頃が裏返る一瞬に目を射抜くことは計算されているというわけ。そういえば、江戸時代の男の粋は、裏地に凝ることだったともいわれるではありませんか。

とはいえ、スーツは制服のようなもので、そこに「自分なり」を表現することには限界が。それを補うのがシャツとネクタイです。スーツは三、四着、ワイシャツ、ネクタイは無数というのがイギリス人男性の武器庫、ワードローブの中身といわれています。つまり、画一的なスーツはそのままにシャツやネクタイの組み合わせで「自分らしさ」を表現しようというわけです。そのため、ジャーミン・ストリートにも、それらに特化した店が何店もある。これも日本では見られない光景です。

イギリスの男どもが格好よく見えるのはその姿勢が一役かっています。こころの姿勢ではなく、立居振舞のこと。なにしろ肩から胸にかけての肉付きが豊かなためにスーツの肩落ち部分が張っている。しかも胸を突き出すように歩くので、どうしても威風所を払うという風情になります。これは普段着のときにも見られますから、おそらく子どものころから身についたものでしょう。なにも偉そうに格好をつけているわけではない。たとえ、精神的には軟弱で無責任、卑屈で拗ね者であっても、外見で他を圧倒するところがある。じつのところ、見かけ倒しという言葉がぴったりという男も少なくないのです。

イギリスは男性中心の社会。ただ、あわてて補足しておくと、特段それを称賛する気はないし、望ましいとも思いません。また、女性差別が常態化しているわけでもありません。女性宰相が十一年も君臨したのはこの国です。その後、二人も頂点に登った。男女平等を基礎に社会が構成される近代国家であることはいうまでもありません。とはいうものの、男が気を張って、それもごく自然に生きている様子があちこちに見られることは否定できない。それをして「ダンディー」とか「ダンディズム」とかいうならそのとおりなのかもしれませんが、彼ら自身にそういう意識、気概があるようにはとても見えない。むしろ、それを理想化したり、理念のようにことさら言上げする雰囲気が日本にあるとすれば、そのことの方が無粋な話ではありますな。

15 虚／実の存在意義

「遊女は客に惚れたといい、客は来もせでまた来るという」。

これは、浪曲『紺屋高尾』の有名な出だしの一節(ひとふし)です。客と遊女との、虚と実の駆け引きという傾城につきものの風情を一声で表しています。

江戸、吉原は、京の島原と並ぶ、世界でも珍しい公娼の一郭でした。もとは日本橋にあったものを、明暦の大火(一六五七年)後、浅草に移ったので、正確には新吉原と称しました。

江戸という街は、全国から集まってくる武士を中心に、圧倒的な男の都市でした。一説によると、人口の七割が男性だったともいいます。その性的エネルギーの蕩尽場所としてあったのが吉原。もちろん、膨大な男社会にあって、いかな吉原といえど供給力には限界がある道理で、品川、千住、新宿、板橋、深川、神楽坂など、岡場所といわれる私娼街も用意されていました(最盛期には六一ヵ所を数えたとも)。

傾城は、男と女の出会う場所、それも金銭づくのまことに実務関係のみによって形づくられた場所。金がらみの欲得が渦巻く世界だからこそ、虚実の駆け引きが遊びの心得となるの必定。さはさりながら、合理的行動だけで片のつかないのが人間でありまして、ときには本気、まことに命さえも賭けてしまう輩があらわれる。

江戸情緒を醸し出す点景に、二人連れの三味線弾きが描かれることがあります。三味線の二丁弾きともいい、本調子と上調子の掛け合いに妙味が醸される。そして、高音や裏声を巧みに節回す浄瑠璃がこの三味の音に重なると。これが「新内流し」。浄瑠璃新内節が正式名称です。

もとは座敷芸ですが、なかに街頭に出て角づけをする芸人があらわれた。演題は、おおむね悲恋ものが多く、とりわけ遊女と客の心中を物語った。近松門左衛門はもとより、傾城に心中はつきものなのであります。そのため、一時、新内流しは仲街に入ることを禁じられた時期があったと。遊女が噺に絆(ほだ)されて、商売気をなくすからといいます。

それはともかく、いまでこそ居酒屋、バーなど男性諸氏が連れ立って余暇を過ごす場所には事欠きませんが、江戸時代には町の中心にそうした歓楽街はありませんでした。男どもが気炎を上げながら繰り込む社交場が吉原だったのです。

ところかわってコーヒーハウスのハナシ。

いまでこそ、イギリスは紅茶の国といわれるようになりましたが、コーヒーの方がそれに先んじてこの国に入ってきた。一六五〇年、オックスフォードに最初のコーヒーハウスが商売を始めたと記録にはあります。その翌年には早くもロンドンに出現し、最盛期には二〇〇〇軒を越える店が首都に展開したといいます。

コーヒーの原産地はいまのエチオピア。そこからアラビア半島に伝わり、オスマントルコを中心に西方へと広まり、そしてブリテン島に達したというわけ。イギリス人にしてみると、とにかく東宝への憧憬、エキゾティシズムの凝縮した黒い液体だったのです。それと、長いあいだ、イギリスをはじめヨーロッパの人びとには、余暇の時間になにかを飲むという習慣がありませんでした。生水でさえ不潔で不味く、飲用不適であったし、酒に手を出すいがいに口腹を塞ぐことはできなかった。コーヒー、そしてのちの紅茶が人びとの嗜好を満足させる条件はそろっていたということです。

とはいえ、コーヒーハウスに蝟集したのは、もっぱら男どもだけ。古いロンドン、シティーは商売の街。それぞれ同業の職に就く男たちが集まれば、仕事の憂さを語りながら、その言外にさまざま些細な情報を嗅ぎ取ることは常道で、そのうちにそれがひとつの業態として形を成すようになってくる。世界の保険市場の元締めともいわれる「ロイズ保険」もその一つです。船員、船主、荷主、回漕業者が集まるなかで、危険とその保証をギャンブルのように売り買いする業態が生まれたのです。起業と投資を売買するビジネスも生まれた。株式市場の発生です。そのほか、各種の商品市場もこうしたなかから発生してきました。イギリスの金融、財政の元締めといえば、「イングランド銀行」ですが、これも、淵源をたどればこの種の参会から生まれたといいます。

その後、十八世紀に入ると、貴顕紳士はより排他的な場所を求めるようになり、それが、「ジェントルメンズ・クラブ」を生み出していくことになりました。イギリス社会に特異な場所を占める「クラブ」です。これは、いまも、パル・マルやセント・ジェイムズ・スクエア周辺に散在しています。

その一方で、ローワーミドルやワーキングの人びとが集まる場所として形を成していったのが「パブリック・ハウス」、通称、パブです。文字どおり、誰でもが入れるという意味で、この名がついている。その前史は、旅籠（Inn）のバーであったり、居酒屋（Tavern）であったりしましたが、それらがパブへと収斂していったという流れ。今日、イギリス各地、都鄙をとわず津々浦々に存在し、'my local' などといって、地域の男たちが寄り集う場所として愛好されてきました。ところが、年々、その数を減らしているのが実情。とにかく、若者が酒を飲まなくなってきているのです。

さて、吉原とコーヒー・ハウスをつなぐもの、それは「嗜好」と「社交」といってよいでしょう。どちらも、人間の生活にとっては非労働時間の一斑をなしている。とりわけ、男性中心主義の時代を象徴する場所であったことは間違いありません。現在の社会が、大きく変化したことを実感させる過去の負の遺産、遺物としては存在価値があります。歴史を見る目は、価値的な分け隔てをせずに養っていきたいものです。

とまれ、人間は、〝実〟の生活で明日の糧(かて)を得つつ、嗜好や社交という〝虚〟の時間、空間で明日への生きる意志を養うのです。非労働時間にどのような行動をするのか、これまでなかなか掬い取られなかった世界へ、多様な目が向けられ、さまざまな成果が生まれています。文化が多様性を必須とすることが、広く理解されてきた証といえましょう。

後口上

「世の中の関節が外れてしまった」

The time is out of joint.（*Hamlet*, I-5）

世界で平穏を破るようなことがつぎつぎと起こっている。人間的事象ばかりではない。地の上と下でも、安定を訝しくさせるような自然現象が起こっている。いままでは、人間界と自然界とは無関係、別の体系で動いていると思われてきた。しかし、「人新世」などというコンセプトが出てくると、旧来の歴史常識も通用しなくなる。関節はかなり前から外れていたのかもしれない。

さて、自分の来し方を振り返ってみると、一九九二年に『ヨーロッパ「近代」の終焉』（講談社現代新書）を書いたのが一つの出発点だった。これは、哲学を勉強した者の延長上にあった。近代という時代の抱えるさまざまな問題を取りあげ、その是非善悪、功罪を判じた。だいぶ間隔はおいたが、『近代文化の終焉』（彩流社）は、その続編の配置になる。

この一方で、イギリスへの関心が一貫してあり、それは、「前口上」でもふれたとおり、近代への問題意識とけっして無縁ではない。さらに、漠然としたイギリス嗜好ではなく、具体例として、イギリス競馬に注目したところがわれながら特異かと自負している。イギリスは、いうまでもなく、近代競馬の発祥地で、それだけに、「近代化」のアーキタイプのようなところがある。『ダービー卿のイギリス』（ＰＨＰ新書）、『競馬の文化誌』（松柏社）、『イギリス文化と近代競馬』（彩流社）などはその成果の一端である。ついでに触れると、『英国競馬事典』（競馬国際交流協会）、『イギリスの競馬サークル』（小鳥遊書房）の両翻訳もその流れのなかにある。

自分としては、前者のような近代への関心を基本とし、イギリスへのそれは応用問題を解くといった位置づけである。やや硬い言い方になるが、前者が文明論的アプローチであるのに対して、後者は文化論的アプローチということにもなる。

文明（civilisation）と文化（culture）と、日本語ではたまたまおなじ「文」の文字が使われているため、紛らわしいと受け取られているが、これらが異なるコンテクストにあるのは明らか。前者が時間という縦軸、後者が空間の横軸にあるといえば、明示しやすいだろうか。

ともあれ、そうした両軸の交点にある諸編を集めたのが本書である。さらに一歩を進め、競馬と近代スポーツに焦点を当てた諸編も、いずれお目文字を得ようと考えている。

「近代の終焉」などと大見えを切って三十年がたち、「文化」もようやくその端境期に達してきたように見える。それが昨今の「肘関節が外れた」ような出来事なのだろう。おそらく、人類と地球環境は当面は持続するだろうから、その改変、シャッフルの時期に入って来たと考えるべきなのだ。ことさらに危機や終末を煽るような無責任なことは慎むべきと、自分では考える。J・J・ルソーも「人類はつねに今こそ危機の時代と考えてきた」とどこかで言っていた。もちろん、そうした危機意識をもって対処していく心構えは必要に違いないのだが、なによりも、それを耐え凌いでゆく強さと巧みさは失いたくないものだ。

今回も書肆の社主、高梨治氏のお手数を煩わせることになった。高梨氏との仕事はこれでじつに七冊目。筆者の真意をよく理解され、懇切で丁寧な仕事ぶりには、あらためて舌を巻く思いである。ここに深く頭を垂れ、深謝したい。今後も引き続きよろしくお願いします。

二〇二三年十二月

山本雅男

初出一覧

第一部　イギリス文化／文明の皮相から深層へ、日英比較を軸に

歩様考抄　『江古田文学』第七一号　江古田文学会　平成二一年

『こころ』の考現学　『江古田文学』第五二号　江古田文学会　平成一五年

倫敦を歩く漱石　『江古田文学』第四八号　江古田文学会　平成一三年

隔ての文化　『江古田文学』第七二号　江古田文学会　平成二一年

文化と象徴——空間の図像をめぐって——『日本大学芸術学部紀要』第四六号　平成一九年

十八世紀イギリスの時代表象　『日本大学芸術学部紀要』第四九号　平成二一年

イギリスの人性と哲学　『江古田文学』第六四号　江古田文学会　平成一九年

第二部　多様な表情を持つイギリス

『英語教育』（大修館書店）Vol. 63 No.1　二〇一四年四月号～ Vol. 64 No.13　二〇一五年三月号

【著者】

山本雅男

（やまもと　まさお）

1950年生。英国文化研究家。翻訳家。静岡県立大学国際関係学部、日本大学芸術学部、国際ファッション専門職大学等で教鞭を執る。日英協会、日本ウマ科学会、日本スポーツ社会学会、日本文藝家協会各会員。日本中央競馬会委員会委員、（公財）ジャパンスタッドブックインターナショナル評議員。
著書：『記号としてのイギリス』（共著、南雲堂）、『ヨーロッパ「近代」の終焉』（講談社）、『ダービー卿のイギリス』（PHP研究所、JRA馬事文化賞受賞）、『競馬の文化誌』（松柏社）、『近代文化の終焉』、『イギリス文化と近代競馬』（以上、彩流社）、『誘惑するイギリス』（共著、大修館書店）、『イギリス文化事典』（共著、丸善出版）など。
訳書：『同性愛の社会史』（共訳、彩流社）、『倫敦路地裏犯科帳』（東洋書林）、『英国競馬事典』（競馬国際交流協会）、『エルトゥールル号の海難』（共訳）、『チビ犬ポンペイの冒険譚』（共訳、以上、彩流社）、『イギリスの競馬サークル』（小鳥遊書房）など。

近代イギリスの文化と文明を歩く

表象から深層へ

2024年1月25日　第1刷発行

【著者】
山本雅男

発行者：高梨 治
発行所：株式会社小鳥遊書房
〒102-0071　東京都千代田区富士見1-7-6-5F
電話 03 (6265) 4910（代表）／FAX 03 (6265) 4902
https://www.tkns-shobou.co.jp

装幀　鳴田小夜子（KOGUMA OFFICE）
印刷　モリモト印刷株式会社
製本　株式会社村上製本所

ISBN978-4-86780-036-2　C0022